PSYCHIATRIE, RECHERCHE ET INTERVENTION
EN SANTÉ MENTALE DE L'ENFANT

P.R.I.S.M.E.

Soigner et éduquer en hôpital de jour

Volume 4, no 4
Automne 1994

Le mot du rédacteur en chef

L'hôpital au jour le jour...

A leur apparition, au milieu du siècle, les premiers hôpitaux de jour psychiatriques pour enfants sont venus occuper un terrain vague longtemps inexploité. Un terrain s'étendant à l'extérieur des murs de l'asile, au-delà de la cour de l'école, derrière l'hôpital tout près des toutes récentes cliniques externes de pédopsychiatrie.

On peut se représenter cette création comme la résultante d'un espoir d'une part, et d'un remords, d'autre part. Espoir que l'exploitation créative des nouvelles connaissances du développement normal et pathologique de l'enfant permette la mise en place de soins et de modalités d'éducation véritablement adaptés aux besoins de jeunes jusque-là considérés comme «non traitables» ou «inéducables». Mais remords aussi d'une société de moins en moins capable de se cacher le sort terrible réservé aux enfants internés, enfermés, laissés-pour-compte.

On voulait sauvegarder les liens de l'enfant mentalement handicapé avec le reste de sa famille, lui offrir un ensemble de soins variés et concertés dans un cadre ouvert et stimulant, mais aussi donner aux parents une alternative au placement, à la honte, à la mise à écart, et aux soignants, une façon de sortir de l'impuissance.

La formule a fait son chemin et, au fil des essais et des erreurs, l'ébauche de départ s'est raffinée, attirant un nombre croissant de professionnels de disciplines diverses venus mettre leurs compétences au service des jeunes patients et de leurs familles.

Les modes d'approche et le fonctionnement des équipes y sont pourtant des plus exigeants. Ce travail pluridisciplinaire concerté, intensif et unifié autour de plans de soins globaux et individualisés représente un défi sans cesse renouvelé pour chaque intervenant: celui de maintenir au jour le jour un équilibre complexe entre soins et pédagogie, entre stimulation et reconnaissance des déficits, entre les besoins des parents et ceux des enfants, entre les exigences de l'équipe et celles de chaque spécialité impliquée.

Ces bases de fonctionnement ont présidé à l'émergence de soins innovateurs pour une population qui en avait le plus grand besoin. Si l'expérience des cinquante dernières années incite à la modestie face aux espoirs initiaux de guérison, de réadaptation et de réinsertion complète de ces enfants dans la société, cette modestie ne doit pas masquer le fait que l'hôpital de jour a permis à un grand nombre d'enfants de réaliser leurs potentialités d'une façon qui aurait été impensable dans le passé, qu'il leur a évité l'aliénation dégradante de l'enfermement, offert aux familles un soutien éclairé, un accompagnement dans la dignité, et enfin qu'il a contribué à modifier la perception de notre société face à l'«enfance aliénée».

Ces changements sociaux ont à leur tour favorisé l'éclosion de ressources scolaires de plus en plus nombreuses pour les enfants déficients, autistes ou souffrant de graves troubles de la communication. Ce qui oblige en retour l'hôpital de jour à s'ajuster, se redéfinir, et même à se justifier. Car les services dispensés sont complexes et onéreux. Dans le contexte actuel des finances publiques, l'hôpital de jour est régulièrement interpellé: avons-nous les moyens de les garder actifs? Les efforts considérables qui y sont déployés en valent-ils la peine? Ne devrait-on pas réinvestir ces énergies ailleurs, là où les résultats seraient plus marqués? Ne doit-on pas considérer des alternatives? Les besoins de cette population hétérogène d'enfants ne seraient-ils pas mieux pris en compte dans des services scolaires spécialisés?

Cette remise en question est désormais inévitable et de toute façon très saine pour ceux-là même qui oeuvrent en hôpital de jour. C'est que le travail intensif et continu au plus près de la souffrance des enfants confronte les soignants à des questions de survie psychique. Si chaque service a dû se doter de moyens internes pour contrer l'usure et le découragement, pour parer aux dérapages en faisant régulièrement le point et le plein, grâce aux réunions d'équipe, aux supervisions, à la formation continue, en revanche, rares sont les occasions de débattre de ce travail sur la place publique, de comparer et confronter les divers courants et approches...

C'est en partie pour contribuer à remplir ce manque que nous consacrons ce numéro de P.R.I.S.M.E. à ce dispositif de soin bien particulier. Pour le plus grand nombre de professionnels de la santé mentale, l'hôpital de jour demeure un peu mystérieux, on le perçoit souvent comme refermé sur lui-même, difficile d'accès. Or il est souhaitable que change cette image regrettable pour assurer que l'avenir de cette ressource (quel qu'il puisse être) soit envisagé en ayant en main les données de la question.

Nous vous proposons donc un portrait un peu éclaté de l'hôpital de jour pédopsychiatrique qui ne prétend pas en exposer de façon exhaustive toutes les facettes mais plutôt donner un aperçu de quelques-unes de ses dimensions originales et intéressantes. Je remercie tous les cliniciens qui ont accepté de collaborer à la réalisation de ce dossier et j'invite tous ceux qui le désirent à nous soumettre leurs réflexions, critiques et commentaires.

Bonne lecture!

Jean-Pierre PÉPIN

«À l'hôpital de jour , on peut bouger beaucoup, beaucoup ?» Eric

M.L. 1994

P.R.I.S.M.E., Automne 1994, vol. 4, no. 4

Sommaire

SOIGNER ET EDUQUER EN HÔPITAL DE JOUR
pour enfants de trois à douze ans

Responsables de rédaction: *Ginette Lavoie, Alain Lebel, Jean-Pierre Pépin*

Débat

entre Jacques HOCHMANN et Michel LEMAY

L'hôpital de jour est une structure de soins encore relativement jeune; certaines de ses modalités de fonctionnement peuvent donc être remises en cause. Nous avons cru qu'il serait intéressant de demander à deux professeurs émérites, Jacques Hochmann, professeur de psychiatrie de l'enfant à la Faculté de médecine Lyon-Nord, et chef de secteur de psychiatrie infanto-juvénile de Villeurbanne, (CHS le Vinatier), et Michel Lemay, professeur titulaire au Département de psychiatrie de l'Université de Montréal et responsable de la Clinique d'autisme à l'hôpital Sainte-Justine, qui oeuvrent tous deux dans ce domaine depuis plus de vingt ans, de nous faire partager les réflexions qu'ils se sont adressés d'un côté à l'autre de l'Atlantique au cours de cette dernière année.

En leur proposant ce débat centré sur l'hôpital de jour et les questions que cette structure pose à plusieurs niveaux, nous souhaitions que ces deux cliniciens définissent leur abord de la psychose et le rôle des centres de jour en considérant les soins que requièrent ces enfants. Doit-on faire des hôpitaux de jour des lieux de soin ou d'éducation? Comment envisager les rapports qui devraient exister entre thérapeutique et pédagogie, et par conséquent, entre les soignants et les éducateurs?

C'est ainsi qu'au cours de ces échanges, les professeurs Hochmann et Lemay nous livrent tour à tour de façon passionnante leur conception de la psychose infantile et tout en exprimant des divergences à propos de certains points apportés par son interlocuteur, chacun pose un regard très actuel sur toute la question de la prise en charge d'enfants psychotiques ou autistes par l'école ou l'hôpital de jour. ❖

Réflexions historiques et actuelles sur l'accueil thérapeutique à temps partiel et l'intégration scolaire des enfants autistes et psychotiques

Jacques HOCHMANN

L'hôpital de jour pour enfants et adolescents, qui a représenté une des grandes conquêtes institutionnelles des années soixante et soixante-dix, constitue aujourd'hui en France un des éléments obligés du dispositif de la plupart des secteurs de psychiatrie infanto-juvénile. Ses mérites ne sont plus à démontrer et son invention a marqué de manière probablement irréversible l'évolution de notre discipline. S'interroger sur son éventuel dépassement peut donc sembler étrange. Je vais pourtant risquer cette impertinence. Ma thèse est la suivante: la création des hôpitaux de jour, en psychiatrie de l'enfant et de l'adolescent, a correspondu à un moment d'une vieille querelle, qui plonge ses racines dans le 19e siècle, et qui oppose soignants et pédagogues. On ne peut pas en effet prétendre soigner un enfant en difficultés psychologiques sans rencontrer sur sa route (tantôt pour s'opposer à eux, tantôt pour collaborer avec eux) ceux qui cherchent à l'éduquer. Dès lors s'établissent soit des fronts agressifs, soit des lignes de partage en manière de compromis. L'hôpital de jour est peut-être un de ces compromis. La question qui se pose est de savoir si ce compromis est toujours d'actualité et si la triple évolution des doctrines, des techniques et des mentalités ne permet pas d'envisager aujourd'hui d'autres modalités de rapports entre thérapeutique et éducation.

En introduction, un détour historique nous permettra peut-être de mieux comprendre et de mieux apprécier notre présent. Je ne vais pas raconter en détail l'histoire de la psychiatrie de l'enfant mais simplement repérer quelques étapes qui ont marqué son cheminement et qui continuent à notre insu souvent, d'influencer nos positions.

On sait que tout commence, apparemment, en ce jour du début du 19e siècle où un jeune aide chirurgien militaire, de garde à l'hôpital du Val-de-Grâce de Paris, est appelé d'urgence à l'institution voisine des Sourds Muets où un enfant vient de se casser la jambe. Il sympathise avec le directeur, l'abbé Sicard, qui lui propose de venir travailler avec lui. Ce jeune chirurgien, plein d'ambition, s'appelle Jean-Marc-Gaspard Itard. Il se met au travail auprès des sourds-muets qui communiquent par signes et qu'il voudrait faire parler. Il a lu le philosophe Condillac, très à la mode, et dont tout le monde connaît alors le mythe de la statue. Condillac supposait une statue douée simplement d'une faculté à distinguer de manière binaire plaisir et déplaisir et d'une capacité de mémoire. Par une sorte d'expérience mentale, il ouvrait, en imagination, les uns après les autres les canaux sensoriels de cette espèce d'ordinateur (l'odorat, la vision, l'audition, le goût et surtout le toucher) et montrait comment la statue se mettait à penser. Les techniciens de l'intelligence artificielle essaient aujourd'hui de réaliser ce modèle d'automate pensant, alors purement théorique.

A l'époque, Itard attend plutôt la statue de chair et d'os qui lui permettrait de vérifier la thèse de Condillac. Quelques mois plus tard, il croit la rencontrer. Près de Lacaune en Aveyron, des chasseurs ont capturé un enfant sans langage d'une dizaine d'années qui vivait seul dans les bois, se nourrissant de graines et de tubercules. On l'a amené à Paris et confié à l'abbé Sicard. Le célèbre citoyen-professeur Pinel l'a examiné et a conclu que c'était un idiot incurable. Itard refuse ce pessimisme. Celui qu'il va prénommer Victor n'est pas, à son avis, un idiot de naissance abandonné par ses parents. Il est devenu idiot faute de stimulation sociale suffisante, faute de ce «commerce réciproque» dont Condillac a fait le terreau sur lequel l'intelligence se développe. Itard obtient donc des crédits et du personnel (une assistante maternelle, Mme Guérin) pour tenter son expérience. Par toute une série de techniques éducatives qu'il invente, il va essayer de réveiller les uns après les autres les sens endormis de Victor, de le socialiser et de l'éduquer, non sans lui faire violence. Il échouera et jurera, mais un peu tard, qu'on ne l'y reprendrait plus (Itard, 1994).

C'est un instituteur, Edouard Seguin, qui réanime le flambeau. Pour lui, Itard a eu tort de se laisser influencer autant par la métaphysique condillacienne. A l'opposé, Seguin se veut avant tout pratique. Il développe, sous le nom «d'éducation physiologique» une série de méthodes actives, individuelles surtout, mais aussi collectives, qui inspireront peu ou prou toutes les pédagogies qu'on appelle aujourd'hui «nouvelles». A l'inverse de Pinel, mais aussi d'Itard, il ne croit pas que les idiots soient incurables. L'idiot, dit-il en se référant à l'étymologie, est quelqu'un qui cherche à persister dans son être, qui est refermé sur lui-même (en grec idos et autos ont des sens assez proches, et l'idiot de Seguin ressemble beaucoup à notre autiste). Il s'agit d'ouvrir cette prison, d'aider l'idiot à en sortir et à se laisser pénétrer par l'influence du maître. La pédagogie de Seguin est en effet à la fois - et de manière paradoxale - une pédagogie très directive et une pédagogie d'éveil et d'ouverture. Seguin attribue essentiellement l'idiotie à une défaillance de la volonté. Le maître devra donc commencer par inoculer à l'élève sa volonté pour l'entraîner à vouloir à son tour mais, en même temps, il cherchera à susciter la curiosité, à éveiller l'intérêt, à stimuler l'activité. Après le coup d'état de Napoléon III, Seguin quitte la France pour les Etats-Unis où il fera une deuxième et brillante carrière. A Paris, son école ferme et ses méthodes tombent en désuétude (Seguin, 1846).

C'est Bourneville qui tire Seguin de l'oubli, à la fin du 19e siècle, et qui ouvre à Bicêtre pour les garçons, à la Fondation Vallée pour les filles, les premières classes annexées à un hôpital psychiatrique (Gateaux-Mennecier,1989). Assisté d'un personnel, qu'il souhaite de sexe féminin et, si possible, d'un physique agréable pour mieux séduire les enfants et les sortir de leur prison mentale, il invente ce qu'il appelle l'«asile-école», une première forme d'institution médico-pédagogique, hospitalo-centrée (même s'il projette de créer des classes spécialisées dans les écoles publiques) et surtout à direction médicale.

Personne jusque-là ne venait contester ce pouvoir des médecins sur ce qu'on appellera beaucoup plus tard l'enfance aliénée. Le conflit avec les éducateurs restait larvé. Seguin pouvait bien s'intituler *«instituteur pour idiots»*, se disputer avec quelques médecins de Bicêtre et refuser de faire les études de médecine qu'on lui conseillait mais qu'il jugeait inutiles pour continuer son métier, il n'en était pas moins resté au sein de l'institution médicale. Son premier client lui avait été confié par un psychiatre, Esquirol. Il deviendra d'ailleurs médecin sur le tard aux Etats-Unis où il poursuivra son oeuvre d'éducateur tout en s'intéressant à l'hygiène et aussi à des sujets de pathologie générale.

Du reste, chez tous ces pionniers, Itard, Seguin ou Bourneville, il n'y a pas d'opposition entre soin et pédagogie. Comme chez les cognitivo-comportementalistes modernes, dont la prétention à la nouveauté paraît exorbitante à qui connaît un peu l'histoire, le soin est alors une forme d'éducation. Toutes les thérapies connues à cette époque, dérivent en effet du traitement moral de Pinel et ont une visée essentiellement éducative ou rééducative, aussi bien pour les adultes que pour les enfants. Le patient adulte est quelqu'un qui se trompe en délirant (étymologiquement, en sortant du sillon) et la fonction du psychiatre est de déraciner l'erreur et de ramener le fou dans le droit chemin de la raison. L'enfant, lui, ne peut pas délirer puisqu'il n'a pas encore atteint l'âge de raison, il n'est pas dans l'erreur, il est dans l'ignorance. Il faut donc l'instruire et lui donner envie d'apprendre. Quand du fait d'une infirmité organique, d'une dégénérescence héréditaire, d'un déficit psychologique ou d'une faillite sociale, l'envie d'apprendre (la volonté) est insuffisante, il faut recourir à des procédés spéciaux, à un traitement moral adapté qui est en même temps une éducation spécialisée.

Au début du 20e siècle, la situation change et le conflit s'aiguise. Une nouvelle race d'éducateur apparaît. En Angleterre, dès le 19e siècle, Spencer, en s'emparant des théories darwiniennes de l'évolution par la sélection naturelle et en les repensant à sa manière, a produit une théorie de l'éducation considérée comme une aide au développement progressif des facultés mentales, en allant du plus simple vers le plus compliqué, du plus organique vers le plus intellectuel. Introduit en France par Taine, il a été relayé par des philosophes: Ribot, Espinas, Claparède. Une science de l'éducation est en train de naître qui ne doit rien à la médecine. C'est le moment que choisit un de ces nouveaux psychopédagogues, Alfred Binet, pour s'opposer aux prétentions de Bourneville (Braumfelder, 1983). Il pense, lui, que l'éducation est une chose trop sérieuse pour être confiée aux médecins. Les enfants en difficultés psychologiques et scolaires ne sont pas des malades. Ils souffrent d'un handicap psycho-social et culturel, d'un défaut de développement, et c'est aux pédagogues de les perfectionner dans des classes spéciales totalement indépendantes des institutions soignantes. Quant aux idiots, à quoi bon, s'écrie-t-il, gaspiller du personnel éducatif et de l'argent à leur apprendre à lire puisqu'ils n'iront pas plus loin que la reconnaissance de l'alphabet et ne sauront jamais syllaber ou, s'ils savent lire, ne comprendront jamais ce qu'ils lisent. Et il ajoute: «*On ferait mieux de leur apprendre à balayer; on ferait mieux de laisser tranquille des épileptiques condamnés à s'enfoncer dans la démence. C'est à bon escient qu'il faut investir l'argent du contribuable, non pas dans des établissements de soins qui ne doivent rester que des garderies, mais de manière productive dans l'éducation de ceux qui peuvent profiter d'un perfectionnement éducatif rentable*».

On comprend que ces arguments économiques obtiennent la faveur du législateur. En 1909, l'année où meurt Bourneville, une loi est votée. Elle divise le champ de l'enfance souffrant de difficultés psychologiques en deux. D'un côté, les enfants débiles légers ou moyens réservés aux maîtres des classes de perfectionnement, et de l'autre, les débiles profonds inéducables qu'on abandonne aux psychiatres. Pour mieux faire ce tri, Binet s'est associé avec un psychiatre du nom de Simon; ils ont inventé une échelle métrique de l'intelligence, fidèle aux conceptions hiérarchiques de Spencer, et qui permet de calculer l'âge mental et, en le rapportant à l'âge réel, de déterminer des niveaux de quotient intellectuel. Pour longtemps, les enfants au Q.I. inférieur à 50 seront rejetés dans des asiles souvent surencombrés et sous-équipés où ils ne bénéficieront plus d'aucune scolarité et de fort peu de soins. En effet, à part quelques cas exemplaires, dont, à Lyon, celui trop peu connu du Dr Maurice Beaujard, les médecins aliénistes, convaincus de leur incurabilité, se préoccuperont peu des enfants qui leur seront confiés. Ils les laisseront végéter dans des pavillons mal entretenus et dans des conditions voisines de l'animalité. On comprend la réaction indignée des parents face à une situation scandaleuse qui continue, bien qu'elle ne soit plus d'actualité, à hanter l'imaginaire social et à maintenir dans l'esprit du public l'assimilation entre hôpital et lieu de relégation.

Les parents s'organiseront donc en associations pour essayer d'éviter le pire à leurs enfants et obtiendront d'abord du gouvernement de Vichy, puis à la Libération, la reconnaissance d'un statut nouveau, celui d'«*enfants inadaptés*». Dominées par les familles d'enfants mongoliens (on ne dit pas encore trisomique car la trisomie 21 n'a pas encore été découverte), ces associations créeront et géreront des établissements spécialisés. C'est la deuxième naissance, un demi-siècle après Bourneville, de l'institution médico-pédagogique. Mais cette deuxième formule est très différente de la première. Bourneville rêvait d'un asile-école à direction médicale. Si les parents ont sorti leurs enfants de l'asile, ce n'est pas pour le recréer dans leur IMP, leur IMPro ou leur IME[1]. C'est pour les envoyer dans des écoles, aussi près que possible de la normalité. La direction sera donc pédagogique. Mais comme l'Education Nationale refuse cette charge nouvelle et entend se défausser sur la Sécurité Sociale de la mission d'instruire les enfants inadaptés, il faut bien introduire le médecin, non tant comme garant de la dimension thérapeutique que pour justifier, par sa présence, le financement par l'Assurance-Maladie. L'institution médico-pédagogique de Bourneville correspondait au projet d'un traitement moral, d'une psycho éducation. L'institut médico-pédagogique de la Libération est un compromis économique. Cela n'empêchera pas un grand nombre d'IMP, d'IMPro ou d'IME de faire un excellent travail, et un certain nombre de psychiatres et de neuropsychiatres d'y trouver leur place.

En dehors de l'asile, en effet, la neuropsychiatrie infantile était née et s'était développée, généralement à proximité des services de pédiatrie ou de neurologie. Elle collaborait relativement peu au début avec l'école, qui la tenait à distance, et davantage avec les services de l'aide sociale à l'enfance, de l'éducation surveillée et de la justice. Son objet privilégié n'était plus l'idiot, comme au 19e siècle, mais l'enfant caractériel, le mineur délinquant, l'enfant abandonné, ce qu'on appelait alors «*l'enfant irrégulier*».

Petit à petit toutefois, elle grignotait un champ dont les pédagogues avaient voulu l'exclure. Elle découvrait les troubles instrumentaux du langage oral et écrit, et inventait une nouvelle profession para-médicale, les orthophonistes, par le biais desquels elle établissait de nouveaux ponts avec le monde de la pédagogie. Elle appelait aussi à son aide les psychanalystes pour traiter les troubles affectifs. Les psychanalystes jusque-là s'étaient surtout intéressés aux névroses de l'adulte et n'avaient cherché, dans l'observation de l'enfant qu'une confirmation de leurs hypothèses sur le développement psycho-sexuel élaborées de manière rétrospective à partir de la cure des adultes. Les rares psychanalystes qui s'étaient occupés directement d'enfants, Hermine Hug-Helmuth, la propre fille de Freud, Anna, en France, le Dr Sophie Morgenstern, pratiquaient encore un mélange de pédagogie et de psychothérapie, une éducation des émotions et de leur contrôle inspirée par la psychanalyse plus qu'une véritable interprétation des contenus inconscients tels qu'ils s'actualisent dans le transfert.

C'est alors qu'une psychanalyste d'origine austro-hongroise, émigrée en Angleterre, Mélanie Klein, opère une manière de révolution (Klein, 1959). Prenant au sérieux la conception freudienne qui attribue à l'enfant une sexualité déjà active dès le début de la vie, elle considère le bébé comme un être pensant, capable de se créer une conception d'autrui et d'imaginer autrui au centre de ses scénarios fantasmatiques. Elle va même plus loin en plaçant au début de la vie psychique des mouvements de persécution, puis de dépression qu'on attribuait jusque-là uniquement aux adultes. Nous sommes aujourd'hui, même si nous ne nous en réclamons pas officiellement, tellement imprégnés par les idées kleiniennes que nous avons peine à nous représenter à quel point il a pu paraître blasphématoire d'affirmer qu'un bébé était précocément doté d'un Moi en relation avec des objets, qu'un bébé pouvait délirer, qu'un bébé pouvait se déprimer. Cette révolution conceptuelle amène Mélanie Klein à trancher les liens entre soins et pédagogie. La pédagogie ajoute quelque chose, elle développe une fonction, apporte des informations qui manquent et des instructions pour utiliser ces informations. Le soin psychanalytique n'apporte rien, n'ajoute rien, il libère une potentialité, il enlève des obstacles, il soulage des empêchements. De même que la psychanalyse des adultes s'est constituée en se soustrayant à la tutelle de l'hypnose et de la suggestion et en leur tournant le dos, de même, pour Mélanie Klein, la psychanalyse des enfants se dégage de la pédagogie et s'oppose à elle. Mélanie Klein rejette tout conseil pédagogique, elle affirme analyser le transfert dans toutes ces dimensions positives et négatives, et le transfert seulement.

Je n'entrerai pas dans le détail des discussions -passionnantes - qui ont marqué cette époque très riche où la psychanalyse des enfants se constituait, et qui portaient sur la question du Moi précoce, sur la nature du transfert de l'enfant encore confronté à ses objets parentaux réels ou sur la possibilité d'assimiler les techniques de jeu avec les associations libres des adultes. Je n'insisterai pas non plus sur ce qu'il peut entrer de déni ou de refoulement dans la prétention d'une psychanalyse d'enfant sans aucun caractère éducatif. La lecture des cas traités par Mélanie Klein conduit à se demander si elle ne pratiquait pas, à son insu, une pédagogie des fantasmes, et si elle n'offrait pas, malgré elle, à l'enfant des cadres symboliques préformés, des représentations pré-fabriquées pour organiser ses angoisses.

Retenons simplement que s'impose alors l'idée d'une opposition entre psychothérapie et éducation, et aussi que Mélanie Klein et ses élèves commencent à analyser des enfants très perturbés que nous qualifierions aujourd'hui de psychotiques. Il va s'ensuivre un remaniement complet d'une nosogaphie jusque-là limitée par le classement des enfants sur une échelle d'intelligence. En 1943, parallèlement aux travaux de Mélanie Klein, un psychiatre américain, d'origine autrichienne, mais qui n'était pas psychanalyste, Léo Kanner, avait décrit un syndrome apparemment nouveau: l'autisme infantile précoce. Quand on lit attentivement son article et qu'on reprend un à un les onze cas de Kanner, on est frappé par les convergences avec les descriptions de Seguin. Mais le mot d'autisme n'est pas innocent. L'empruntant à Bleuler qui en faisait le symptôme essentiel de la schizophrénie de l'adulte, Kanner montre bien - contrairement à toute la tradition psychiatrique issue du 19e siècle - que l'enfant peut être atteint de folie, qu'il peut souffrir d'une maladie mentale et non d'un simple défaut de développement, qu'on peut donc le soigner et pas seulement l'éduquer (Berquez, 1983). Dans la foulée, une psychanalyste américaine Margaret Mahler décrit une autre forme de psychose précoce qu'elle appelle «symbiotique» (Mahler, 1989). Puis ce sont, en France, les travaux de Lebovici, de Diatkine, de J.L. Lang, la description par Roger Misès des dysharmonies d'évolution et des psychoses à expression déficitaire. Le cadre fourre-tout de l'idiotie a éclaté (Mazet & Lebovici, 1990; Misès, 1968; Lang, 1978).

➡

A pathologie nouvelle (ou à regard nouveau sur la pathologie), il faut des moyens thérapeutiques neufs. Certains psychanalystes comme Bruno Bettelheim aux Etats-Unis, Roger Misès en France, appliquaient déjà à l'institution résidentielle les connaissances et l'écoute psychanalytiques (Bettelheim, 1969; Misès, 1980). Ils avaient transformé en profondeur l'asile et en avaient fait une institution thérapeutique à plein temps où la pédagogie trouvait d'emblée sa place, aux côtés d'un soin qui s'était spécifié et dont les indications se précisaient.

C'est alors qu'apparaît l'hôpital de jour (Lang, 1992). Il s'agit, pour ses promoteurs, de diversifier les modalités de réponse thérapeutiques et de créer, entre l'internat et le service de consultation, de psychothérapie et de rééducation ambulatoire, un espace intermédiaire nouveau où seront accueillis des enfants psychotiques et dysharmoniques. Ainsi un traitement pourra être engagé, en maintenant ou en rétablissant les liens entre l'enfant et sa famille, et en prolongeant tout au long de la journée des actions thérapeutiques étayées sur l'ensemble des activités variées qui rythment la vie institutionnelle.

Je n'insisterai pas sur l'intérêt de cette incarnation de la psychothérapie dans la vie quotidienne d'une institution pour les enfants qui ne peuvent, du fait de leur structure pathologique, se satisfaire d'un simple traitement individuel, fut-ce cinq fois par semaine. Je voudrais seulement marquer ici que l'hôpital de jour signifie aussi, par rapport aux externats médico-pédagogiques, une reprise de pouvoir par les soignants, une manière de renouer avec l'institution médico-pédagogique première manière, celle de Bourneville, ou encore une revanche sur Alfred Binet. Si nombre d'hôpitaux de jour s'associent à l'Education Nationale pour ouvrir, dans leurs murs, des classes spécialisées, les instituteurs ou les professeurs s'y trouvent en minorité et, nécessairement, la pédagogie - pour dire les choses brutalement et sans toutes les nuances qu'il faudrait apporter - est subordonnée aux soins.

Ainsi se développent sur un arrière-fond doctrinal emprunté à la psychanalyse, ou plutôt à une certaine lecture des travaux psychanalytiques, mais aussi à tout un courant libertaire anti-pédagogique, une idéologie qui va prendre des formes diverses selon les endroits, et que je ne puis ici que caricaturer grossièrement. Elle considère schématiquement l'éducation comme une toxine dont, du fait de sa vulnérabilité, de son incapacité à se défendre contre la séduction par des influences étrangères, il faut préserver l'enfant. D'où cette phrase slogan qu'on a pu souvent entendre en réponse à la demande d'intégration scolaire, «il n'en est pas là», sous-entendu, cet enfant n'est encore pas prêt pour apprendre, avant de le laisser à l'école, il faut attendre de l'avoir soigné, c'est-à-dire de lui avoir donné des armes pour se défendre contre l'aliénation pédagogique, contre une normalisation de surface, contre une mise en conformité.

Cette position idéologique, dont je me suis quelquefois demandé si elle ne correspondait pas, chez certains psychanalystes ou supposés tels, à des souvenirs douloureux de leur propre expérience scolaire, conduit aussi à établir autour du cadre thérapeutique une sorte de cordon sanitaire. C'est comme s'il fallait préserver également les thérapeutes de toute contamination par l'institution scolaire et par ses représentants en limitant au minimum les contacts avec eux.

Ainsi s'organise, dans les milieux soignants, une véritable phobie de l'école qu'on pourrait qualifier - en s'amusant au jeu des interprétations sauvages - de peur du retour du refoulé pédagogique, sur lequel, comme j'ai essayé de le montrer, le soin s'est bâti.

Il était inévitable que les parents, à la longue, réagissent à cette idéologie. Educateurs par définition, ils se sentaient stigmatisés par les positions anti-pédagogiques de certains soignants. Soucieux de normaliser leur enfant, ne voyant quant à eux aucun caractère péjoratif à la normalité, ils voulaient qu'au plus vite et comme tout enfant, il apprenne à parler puis à lire, à écrire, à compter. S'interrogeant anxieusement sur son avenir à l'âge adulte et surtout après leur disparition, ils le voulaient autant que possible, autonome et socialisé. Ils supportaient donc mal qu'on leur vante et qu'on respecte chez leur enfant les charmes d'une innocence prolongée, une sorte d'état de nature idyllique, un bonheur primitif ante-social et ante-scolaire. Le destin de l'enfant sauvage, même protégé comme une espèce en voie de disparition dans les vallées cévenoles, ne leur semblait pas enviable.

Quelque chose, par ailleurs, avait changé dans leur mentalité. A la Libération, ils réclamaient pour leurs enfants des écoles spéciales, craignant le contact direct avec les autres enfants, ou avec des maîtres mal préparés à les accueillir. Ils redoutaient le rejet au fond de la classe, la persécution dans les cours de récréation, l'effondrement devant une pédagogie inadaptée. De 1945 à 1975, ils avaient donc créé, de manière «industrielle», a-t-on dit, une masse d'établissements spécialisés. En 1986, le rapport Lafay se fait l'écho de leurs nouvelles préoccupations (et aussi de celles des pouvoirs publics confrontés au déséquilibre croissant du budget social de la nation). Les établissements spécialisés ne fabriquent-ils pas des adultes très dépendants pour qui il faut désormais prévoir des foyers, des C.A.T.²? La ségrégation n'engendre-t-elle pas de manière quasi automatique la ségrégation? L'intégration sociale précoce, c'est-à-dire essentiellement l'intégration scolaire, n'est-elle pas susceptible de promouvoir une évolution vers plus d'autonomie nécessitant donc moins d'assistance (Lafay, 1986).

Quelque chose a changé aussi dans l'opinion publique, portée par des campagnes médiatiques et par une certaine mode, portée aussi par le travail des équipes de secteur, l'aliénation mentale fait moins peur. La différence est mieux acceptée ou, si l'on se réfère aux théories de Foucault (1960) selon lesquelles tout groupe a besoin de rejeter pour s'assurer dans son identité, d'autres «mauvais objets», avec la montée du racisme, ont peut-être pris le relais. Du fait de la baisse de la natalité, l'école, moins surchargée, devient plus tolérante. Un texte de loi de 1975 traduit cette évolution. Il est suivi en 1982 et 1983 par des circulaires qui donnent corps à l'intégration scolaire. En résonance à cet ensemble de questions et de modifications dans le champ social, la demande d'un changement dans la pratique des soins se fait pressante.

En même temps, la psychanalyse - exagérément idéalisée, après Mai 68 - connaît un certain reflux, lié à une certaine déception. Dans les soi-disant nouvelles méthodes, les conceptions psychopédagogiques du 19e siècle reviennent au goût du jour, avec une prétention à l'efficacité. Au tout-thérapeutique excessif de naguère, un tout-pédagogique tend, par réaction, à se substituer. Certains aujourd'hui voudraient brûler les hôpitaux de jour, mettre la psychanalyse au feu et les soignants au milieu.

◆

Ces positions maximalistes et la revendication d'une intégration scolaire tous azimuts qui les sous-tend, font toutefois l'impasse sur un certain nombre de pratiques intégratives prudentes et sur une réflexion théorique engagées depuis plusieurs années dans les institutions de soins et, en particulier, dans les hôpitaux de jour.

Je voudrais contribuer à cette réflexion en me fondant sur une pratique de vingt-cinq ans dans un secteur qui a prétendu faire l'économie d'un hôpital de jour, en le remplaçant par un centre de soins ambulatoires intensifs à temps partiel, articulé avec des classes spécialisées intégrées dans des groupes scolaires ordinaires. Je proposerai quelques hypothèses de travail (Hochmann, 1984, 1994).

Elles dérivent d'une conception générale des processus psychotiques que je vais résumer ainsi: quelle que soit leur origine, bien souvent inconnue et probablement multifactorielle, les psychoses de l'enfant sont liées à un trouble fondamental de la symbolisation, de nature défensive. L'enfant psychotique ne peut pas faire les frais de la séparation inhérente à toute symbolisation. Symboliser, c'est en effet, en dernière analyse, mettre un objet à la place d'un autre, une chose concrète représentative ou cette chose qu'est une trace écrite ou un son, à la place d'une autre chose. C'est donc signifier, par le fait même qu'on symbolise, l'absence de la chose symbolisée avec laquelle celui qui symbolise doit accepter de se séparer, dont il doit faire le deuil. Confronté à une séparation inéluctable et inacceptable, le psychotique cherche à détruire l'ordre symbolique. Il fonctionne de manière antisymbolique, sa pensée est une anti-pensée, comme on dit l'anti-matière. D'où le caractère concret de la pensée psychotique, l'absence de jeu, de faire semblant, de métaphorisation, la difficulté à généraliser une expérience, l'absorption dans des comportements en série, dans la répétition, dans l'insignifiance des stéréotypies. D'où encore le souci de maintenir l'identique, d'ignorer ou de rejeter l'imprévu.

Deux mécanismes sont régulièrement invoqués pour ce maintien d'un univers aussi immobile, aussi minéral que possible. L'un est *l'homogénéisation*. Il impose à la vie intérieure et à l'environnement une absence d'organisation. Dans ce chaos, tout revient idéalement au même, tout est pareil à tout, tout est interchangeable avec tout. L'autre est le *clivage* par lequel les expériences internes et externes sont découpées en morceaux isolés les uns des autres et qui ne communiquent pas entre eux. Ces mécanismes n'affectent pas seulement le fonctionnement mental de l'enfant. Par une sorte de contagion psychique, ils attaquent la pensée de ceux qui rentrent en contact avec lui, ils contaminent le psychisme des membres de la famille et aussi celui des soignants.

Comment, dès lors, imaginer un programme thérapeutique qui mette en échec ces mécanismes défensifs, qui protège l'institution soignante contre la dégradation et qui, en maintenant active et créative la pensée des soignants, attire l'enfant hors de sa forteresse anti-symbolique, l'apprivoise et lui donne envie de penser à son tour, c'est-à-dire de s'initier à une activité symbolique, en y trouvant du plaisir?

Je ne puis ici entrer dans les détails, je me contenterai d'énoncer deux grands principes:

Le premier est *l'importance du manque, du lacunaire, du parcellaire*. Pour mériter le nom de thérapeutique, une activité quelle qu'elle soit doit être localisée et limitée dans le temps et dans l'espace, faute de quoi elle se dilue dans le non-sens sous l'effet de l'homogénéisation psychotique. Ce caractère parcellaire, lacunaire, d'un jeu, d'un repas hebdomadaire ou bi-hebdomadaire, d'un échange verbal, qui revient à heure et à jour fixe et pour un temps fixe dans un espace spécifique, a un double effet.

D'une part, il permet la découpe de cette activité comme une forme signifiante qui s'oppose au fond de l'existence et à d'autres formes signifiantes. Comme dans le langage où chaque son n'acquiert de signification que parce qu'il s'oppose à l'ensemble du flux vocal (la musique de la parole) et pièce par pièce, aux autres sons, chacune des activités entre par rapport aux autres dans un système d'oppositions significatives. Pour dire les choses de manière caricaturale, la psychothérapie, c'est ce qui n'est pas de l'orthophonie, le groupe, ce qui n'est pas de l'individuel, le centre de soins, ce qui n'est pas l'école, la classe thérapeutique, ce qui n'est pas l'ensemble des autres classes, l'institution soignante et pédagogique, ce qui n'est pas la famille, etc.. Ainsi s'établissent, à travers le fonctionnement institutionnel lui-même, une mécanique différenciatrice et une mise en perspective qui étaye les premiers efforts langagiers. Pour nommer des objets, il faut pouvoir reconnaître leur identité, c'est-à-dire ce qui les rend différents des autres.

D'autre part, chacune de ces activités thérapeutiques, parce qu'elle ressemble aux activités quotidiennes (de jeu, de parole, de nourrissage) mais parce qu'elle reste parcellaire, inaugure un travail de symbolisation. Le symbole, je l'ai dit, est d'abord un objet réel qui évoque ou représente un autre objet. A l'origine, il était un signe de reconnaissance entre deux individus, chacun ne possédant, par exemple que la moitié d'une bague. Le symbole (étymologiquement le «jeté ensemble») naissait de leur réunion. De même quand des enfants et des soignants partagent une ou deux fois par semaine un repas qu'on peut, parce qu'il est seulement bi-hebdomadaire, qualifier de thérapeutique, ils mettent ensemble sur la table deux moitiés d'expérience d'arrière-plan, l'expérience que chaque thérapeute peut avoir chez lui avec ses propres enfants, l'expérience que chaque enfant peut avoir chez lui avec ses parents. Le repas renvoie donc à quelque chose qui n'est pas là. Dans le partage d'un sentiment d'absence, il symbolise le maternage. En même temps, il permet la construction d'une histoire commune qui, d'une fois à l'autre, peut être racontée et où ceux qui ne sont plus là, qui sont partis peut-être pour toujours, peuvent continuer à vivre dans la pensée, peuvent être évoqués, quelquefois avec un sentiment dont l'enfant découvre qu'il est douloureux mais qu'il est aussi plaisant: la nostalgie.

Le deuxième principe est *l'importance des articulations*. Je reprends ma comparaison avec le langage. Il y a dans la langue des petits mots de rien du tout: les conjonctions, les prépositions, les relatifs qui articulent les mots les uns avec les autres, pour les opposer ou pour les relier, et sans lesquels ce que nous disons serait difficilement compréhensible. Cliniquement, on sait que les autistes et les psychotiques graves les évitent longtemps. Pour lutter contre la tendance au clivage, pour éviter le morcellement de l'expérience vécue, en temps et en espaces qui ne communiquent pas entre eux, il importe donc d'inscrire dans la structure même de l'institution soignante des éléments conjonctifs.

René Diatkine a préconisé ainsi les *«temps vagues»*, les effets de salle d'attente qui permettent à l'enfant d'errer d'un lieu à l'autre et de les faire ainsi communiquer. Pour notre part, nous insistons sur l'importance des accompagnements et sur ce qui se joue lorsque, devant l'enfant, un soignant et un pédagogue, par exemple, parlent de ce qui se passe entre l'enfant et eux. Nous insistons sur l'évocation dans un lieu thérapeutique ou pédagogique de ce qui s'est fait (ou va se faire) avec un autre dans un autre lieu. Mais pour que ces évocations soient possibles et fécondes, il est nécessaire que le fonctionnement même de l'institution exige de chacun de ses membres d'avoir les autres présents dans la tête, et mette en échec ce grand danger des organisations de soins qu'est la formation de ce que M. Woodbury appelait jadis des *«duos paranoïaques»*, c'est-à-dire des isolats culturels où soignants et soignés s'enferment dans la négation de toute réalité extérieure. La chronicité n'est alors pas loin et, avec elle, l'ennui et la perte de sens.

━◆

«Rester vivant», tel était le conseil donné par Winnicott aux thérapeutes. Il me semble que l'accueil thérapeutique à temps partiel, parce qu'il est moins confortable, parce qu'il maintient soignants et soignés, éducateurs et éduqués, dans une position de déséquilibre, parce qu'il oblige continuellement à inventer des solutions nouvelles, favorise la vie. Accueillis à temps partiel seulement, les enfants, en effet, rencontrent nécessairement davantage d'autres interlocuteurs. Ils sont davantage à la charge de leur famille ou doivent recourir à une assistante maternelle. Ils fréquentent des centres sociaux, et surtout ils vont à l'école.

Intégrés dans leur groupe scolaire (et on sait que l'intégration scolaire passe par l'intégration des enseignants), les maîtres des classes spécialisées peuvent mieux conserver leur identité de pédagogue. En étant en contact avec les autres classes de l'école, parfois en y intégrant leurs élèves pour certaines activités de sport, d'éveil, voire pour des enseignements fondamentaux, ils leur évitent et s'évitent à eux-mêmes un fonctionnement en ghetto. Leur classe a aussi moins tendance à devenir soit un lieu de relégation, une garderie, soit un équivalent maladroit des groupes thérapeutiques.

Pendant ce temps, le lieu de soin se distingue davantage d'une école aux yeux des parents et aux yeux de l'enfant. En communiquant entre eux, enseignants et thérapeutes - contraints de penser toujours à l'autre, parfois avec agacement - font communiquer deux espaces psychiques différenciés dans la tête de l'enfant et dans la tête de ses parents. Ainsi, l'homogénéité et le clivage ont davantage de chance d'être contrecarrés, et la symbolisation trouve davantage d'appui en s'étayant sur le fonctionnement institutionnel.

Le vieux débat entre soin et éducation trouve alors une solution originale. Après une première phase où pédagogie et thérapie avaient partie liée et se trouvaient confondues dans un traitement moral qui était en même temps une éducation spécialisée sous direction médicale, on a vu que, dans une deuxième phase, l'éducation spécialisée s'était émancipée des médecins. Dès lors, le bornage des territoires séparés, l'évitement voire l'affrontement mutuel ont dominé les rapports des psychiatres et des enseignants. Nous sommes peut-être parvenus à une troisième phase où il ne s'agit plus de soumettre les uns aux autres ni de remplacer les uns par les autres. Il s'agit au contraire de collaborer en montrant à quel point les uns ont besoin des autres et réciproquement. Soigner et éduquer sont devenues des démarches complémentaires qui n'ont de sens que l'une par rapport à l'autre, qui se soutiennent l'une l'autre, qui peuvent s'opposer mais pour mieux se définir mutuellement.

Il devient ainsi impossible de soigner sans éduquer et d'éduquer sans soigner. Du moins dans l'idéal. Car, dans la réalité, les choses sont plus compliquées. D'une part, la tendance naturelle des systèmes à la clôture sur soi-même pousse continuellement à revenir à un fonctionnement clivé où chacun se referme sur soi, et prétend répondre à soi seul, en comblant tous les manques, en confondant tous les plans, à tous les besoins de l'enfant. D'autre part, on sait aujourd'hui après plusieurs années d'expérience, que l'apprentissage scolaire peut fonctionner chez certains enfants comme un moyen de défense. Ces enfants s'intègrent bien à l'école, ils satisfont leurs maîtres et leurs parents en s'intéressant, parfois de manière exagérée, à la lecture, à l'écriture, au calcul, au point de nous montrer une vie mentale envahie jusqu'à saturation par les chiffres et les lettres. Mais en même temps, ils vident de tout sens leur thérapie et surtout, lorsqu'ils sont privés de l'étayage scolaire à la maison ou en dehors, ils se referment sur eux-mêmes ou se débarrassent, par la projection d'images, de pensées trop angoissantes pour être abritées en eux.

Dépister autant ces retours insidieux du passé, que cette aliénation à un faux-self pédagogique, lutter contre l'entropie et la régression vers une position d'équilibre avec dépense d'énergie minimale, maintenir au contraire le déséquilibre, voire le conflit à l'intérieur de l'enfant aussi bien qu'entre ceux qui s'en occupent, telle est la tâche, aujourd'hui, des équipes soignantes et enseignantes au travail, si elles veulent continuer à progresser et si elles veulent que les enfants progressent.

Lyon, novembre 1993.

Références

Berquez G. L'autisme infantile. Paris: PUF, 1983.

Bettelheim B. La forteresse vide. Paris: Gallimard, 1969.

Braumfelder E. Médecine et société face à l'enfance anormale de 1800 à 1940. [Thèse du 3e cycle]. Paris: Ecole des Hautes Études et Sciences Sociales, 1983.

Foucault M. Histoire de la folie à l'âge classique. Paris: Plon, 1960.

Gateaux-Mennecier J. Bourneville et l'enfance aliénée. Paris: Centurion, 1989.

Hochmann J. Pour soigner l'enfant psychotique. Toulouse: Privat, 1984.

Hochman J. La consolation. Paris: O. Jacob, 1994.

Itard JG. Victor de l'Aveyron. (Réédition) Paris:Ed. Allia, 1994.

Klein M. La psychanalyse des enfants. (1932) Paris: PUF, 1959.

Lafay H. L'intégration scolaire des enfants et des adolescents handicapés. Paris: La Documentation Française, 1980.

Lang JL. Histoire et mémoire des hôpitaux de jour. In: Soulé M, Golse B. Eds. Les traitements des psychoses de l'enfant et de l'adolescent. Paris: Bayard/Païdos, 1992: 260-282.

Lang JL. Aux frontières de la psychose infantile. Paris: PUF, 1978.

Mahler MS. On human symbiosis and the vicissitudes of individuation. London: Hogarth Press, 1989.

Mazet P, Lebovici S. Autisme et psychoses de l'enfant. Paris: PUF, 1990.

Misès R. Problèmes nosologiques posés par les psychoses de l'enfant. Psychiatrie Enfant 1968;11:493-512.

Misès R. La cure en institution. Paris: ESF, 1980.

Séguin E. Traitement moral des idiots. Paris: Ballière, 1846.

Notes

1 IMP: institut médico-psychologique; IMpro: institut médico-professionnel; IME: institut médico-éducatif.

2 C.A.T.: centre d'adaptation par le travail.

359

Un service parmi d'autres dans la panoplie des interventions pour les enfants autistes et psychotiques

Michel LEMAY

J'ai le grand avantage de pouvoir réagir à un premier texte adressé par le Professeur Hochmann. Je le remercie de sa célérité et de la densité de son texte. Je me sens un peu honteux de pouvoir m'appuyer sur ses idées pour à la fois les endosser et, par moments, les confronter avec les miennes.

Ses réflexions théoriques sont particulièrement intéressantes puisqu'elles nous montrent d'où s'enracinent les idées institutionnelles puis le concept de soins de jour. J'aimerai ajouter à cette analyse les travaux autour de Tosquelles, Chaurand, Laisné et Oury qui ont précisément essayé dans les années situées entre 1955 et 1965 de réconcilier les points de vue pédagogiques et psychanalytiques, en particulier à l'Institut St-Simon de Toulouse et qui ont dégagé des notions de thérapie institutionnelle, de pédagogie curative, dont la revue *Empan* (octobre 1991, no. 6) nous a rappelé les grandes lignes. Je citerai également l'équipe du Dr Amado au centre d'observation de Vitry. J'aimerai aussi rappeler le travail immense de Winnicott qui, sachant non sans mal se situer entre les positions inévitablement psychopédagogiques d'Anna Freud et celles de Mélanie Klein, s'occupait lui aussi d'enfants avec les premières idées de ce qui sera beaucoup plus tard appelée la thérapie brève. Dans l'historique, il faudrait aussi parler du rôle décisif des «*Child Guidance Clinics*» américaines dont beaucoup faisaient venir les enfants pour des journées entières ou des demi-journées afin de réaliser des thérapies de milieu, de type soins de jour, sans couper l'enfant de son école.

Nous avons aussi retrouvé au Québec ce que le Pr Hochmann appelle «*la crainte de l'aliénation pédagogique*». Ainsi les premières promotions de psycho-éducateurs qui, dans certains milieux, s'occupaient d'enfants de la série psychotique éliminaient purement et simplement les pédagogues sous la thèse qu'ils n'étaient pas formés pour s'occuper de tels sujets et qu'au nom de la relation transférentielle établie, il ne fallait pas créer de discontinuité en plaçant l'enfant dans des situations animées par des personnes différentes. Pendant fort longtemps, les enfants autistes devaient être dans des services psychiatriques spécialisés tandis qu'en ce moment, on assiste à un phénomène de retour du balancier: l'autisme est un problème pédagogique, à la rigueur neurologique, mais en tout cas pas psychiatrique.

Il y a donc en effet un pédago ou un psychocentrisme qui nous guette tous. Il cache évidemment une volonté de pouvoir mais aussi, devant la complexité des problèmes soulevés par les enfants psychotiques, l'espoir irrationnel qu'une profession puisse se placer au-dessus d'une autre pour réaliser enfin le miracle de la guérison.

Ceci étant dit, je ne suis pas sûr que la meilleure manière de résoudre la question soit de créer deux lieux distincts où l'un s'occuperait des soins tandis que l'autre s'intéresserait à la pédagogie avec un pont qui a bien des chances, si la place de l'un et de l'autre n'est pas clarifiée, de devenir une passerelle pour le moins branlante.

Je suis tout à fait de l'avis du Pr Hochmann qu'avec certains enfants psychotiques, et surtout, à un certain moment de la cure, on a tout avantage à faire en sorte que l'enfant s'intègre dans une classe extérieure même si elle demeure spécialisée (dans le sens de l'effectif, du personnel, du programme), tout en recevant des soins, soit en cure ambulatoire (psychothérapies individuelles) soit en temps de jour (milieu-thérapie d'une ou deux journées par semaine), soit en soins du soir (ce que j'ai personnellement préféré car l'enfant reste alors toutes les journées à l'école et, de 15 à 19 heures, il peut bénéficier de soins).

Je mets sous la rubrique de «*certains enfants psychotiques*», ceux dont la pensée n'est pas suffisamment désorganisée pour altérer gravement les processus d'apprentissage scolaire, ceux qui évoluent progressivement vers une «*névrotisation obsessionnelle*» leur permettant de s'appuyer sur certaines matières scolaires pour structurer un niveau de réalité (malgré les côtés répétitifs, stéréotypés et donc souvent restreints de leurs champs d'intérêt), ceux qui, bien que très malades, peuvent rester dans une classe soit normale, soit à petit effectif, à condition d'être accompagnés de façon individuelle par une sorte de moi auxiliaire adulte les aidant à réintégrer les données fournies.

Les soins de jour à plein temps ne peuvent donc se concevoir que sous la forme d'un milieu thérapeutique hautement spécialisé où l'enfant reste le moins de temps possible (dépasser deux ans est toujours une décision grave) et où un ensemble de moyens sont mis à la disposition de la famille et du sujet pour permettre la mise en place d'une «*seconde ligne d'intervention*». Tout en reconnaissant les risques de repli sur soi, de toute-puissance, de ségrégation, de mise en dépendance, il m'apparaît que ces structures doivent demeurer. J'ajouterai que le regard perpétuel sur ces risques fait partie de l'action thérapeutique.

Sur quelles bases, ma prise de position s'appuie-t-elle?

Soulignons tout de suite qu'on ne peut pas parler d'une psychose infantile mais de psychoses infantiles. Il existe des différences considérables de compréhension selon qu'il s'agisse d'*autisme (avec tous les degrés), de dysharmonies d'évolution* où les dysphasies, les décalages étonnants dans les sphères interactionnelles, motrices, intellectuelles, les chevauchements des niveaux d'organisation fantasmatique. sont nombreux, de *psychoses* à forme paranoïde où l'angoisse et les mécanismes de défense pour les juguler sont omniprésents, de graves *retards dans les processus de symbolisation* sans qu'il soit possible pendant longtemps de situer les capacités cognitives et sociales du sujet.

Il ne m'apparaît donc pas possible d'adhérer totalement à la formulation du Pr Hochmann, «*les psychoses de l'enfant sont liées à un trouble fondamental de la symbolisation de nature défensive*». Certes, je suis bien d'accord avec l'idée que ce trouble existe. Comment le nier alors que nous voyons ces enfants incapables de représentations ou submergés par des images sans aucune médiation entre le stimulus perçu et son élaboration terrifiante, lorsque nous assistons à leur retrait, leurs quêtes perpétuellement avortées de toute-puissance, leur incapacité de créer un espace de détente, leurs répétitions? Mais il y a risque d'un réductionnisme en voulant tout expliquer par l'homogénéisation et le clivage et par une sorte de volonté mortifère de détruire l'ordre symbolique. Je comprends bien que, si on admet cette conception univoque, on veuille créer du parcellaire pour lutter contre l'homogénéisation et, par le manque, favoriser la désignation, l'émergence de fantasmes réparateurs. Je comprends déjà moins qu'on insiste sur l'importance des articulations en mettant l'enfant parallèllement dans une situation qui morcelle inévitablement l'expérience vécue, à moins qu'on se trouve face à des sujets déjà capables d'établir par eux-mêmes des liens par des intériorisations de bons objets, de séquences temporelles investies, d'espace maintenu. Mais ce qui me gêne le plus dans cette vision (qui, encore une fois, peut avoir sa valeur avec certains sujets), c'est une sorte de généralisation où tout se passe comme si l'auteur émettait l'idée qu'il y avait seulement une organisation défensive à traiter, alors qu'il existe des troubles de la série déficitaire et des «déviances», qu'on les appelle difficultés de réception, d'intégration, de modulation, d'organisation.

Les mécanismes défensifs sont indéniables mais de quoi sont-ils l'aboutissement? On a voulu proposer de multiples explications depuis la mère mortifère en passant par la forclusion et par les projections morbides de tout un système familial. On a parlé d'un maintien à une position autistique initiale par refus d'affronter la béance existentielle. On a cherché des réponses dans les apports neuro-biologiques. En fait, les troubles psychotiques sont devenus les pages d'un Rorschach sur lesquelles chacun d'entre nous hallucine. Chaque hypothèse proposée semble correspondre à la réalité d'un enfant rencontré mais, dès qu'on veut opérer une générali-sation, il y a échec.

Il faut donc, et je sens bien cette humilité chez le Pr Hochmann, que nous reconnaissions pour le moment notre ignorance des facteurs étiologi-ques en supposant que le poids de multiples variables doit s'interpénétrer pour donner un tableau clinique apparemment identique mais probablement multiforme dans ses composantes. Cependant, en deçà des mécanismes défensifs qui sont l'aboutissement probable de processus antérieurs ayant empêché que les apports du milieu et les constructions endogènes soient métabolisés, il me semble que l'observation clinique nous permet de reconnaître chez tous les enfants psychotiques une altération profonde des bases mêmes de leur identité. Pour moi, le travail dans une institution soignante consiste d'abord à mettre en place tout un programme thérapeutique qui non seulement mette en échec les mécanismes défensifs mais soutienne suffisamment le sujet pour qu'il puisse trouver l'amorce, soit d'une éclosion de sa vie psychique, dans les cas d'autisme et de dysharmonie profonde, soit d'une organisation minimale de sa vision de lui-même et d'autrui, dans les cas des autres formes de psychose.

En parlant d'altération profonde des bases de l'identité, je veux dire, pour faire image, qu'il manque chez nos enfants hospitalisés une «*colonne vertébrale psychique*»:

Tantôt le corps est vécu d'une manière toute parcellaire avec une recherche limitée et répétitive d'une autosensorialité où les multiples modalités de réception (vue, audition, toucher, kinesthésie, goût, odorat) n'arrivent pas à s'articuler pour permettre une exploration créatrice;

Tantôt ce corps est comme menacé d'une intrusion continuelle par des stimuli internes et externes. Tout peut s'effondrer et, qu'il s'agisse de l'absorption, de l'élimination, des contacts physiques, des bruits ou autres stimuli sensoriels, il faut se construire une carapace, s'agiter ou fusionner. Dans les représentations graphiques, dans les jeux, dans les verbalisations, les thèmes d'envahissement, d'implosion ou d'explosion, sont omniprésents.

L'*espace* est soit réduit à un tout petit angle de la pièce, lui-même peuplé d'objets porteurs d'identifications projectives, soit constamment harcelé, attaqué, vérifié sur un mode contre-phobique.

Le *temps* semble évaporé. A la fois il apparaît immuable, figé, et à la fois, il est chaotique, jamais retenu pour construire des traces qui deviendraient des souvenirs susceptibles de s'élargir pour déboucher sur un passé rassurant.

L'enfant est pris au dépourvu par des événements qu'il subit sans avoir pu les anticiper. Il ne peut être qu'aux aguets de ce qui va advenir sans déboucher sur une *causalité* qui lui permettrait de se créer un monde dont il maîtriserait certaines données.

Parler de l'*angoisse* devient un sujet bien complexe. On a voulu affirmer que l'autisme était toujours défensif par rapport à une angoisse cataclysmique et représentait un système tellement clos et puissant qu'il ne pouvait plus laisser filtrer la moindre perception d'un monde intérieur. Disons que, pour bien des sujets, l'observation ne va pas dans cette direction. En dehors d'une «*immédiateté*» sensorielle toujours limitée à l'un des organes de la sensation, il n'y a pas d'angoisse, tout au plus un malaise corporel, comme si les stimuli même simples ne pouvaient pas être incorporés et modulés pour donner sens. Il y a certes une extrême immuabilité et des réactions possibles de panique devant des changements, mais on a beaucoup plus l'impression d'une incapacité d'assimilation, de modulation confrontant à un inconnu, que d'une forteresse cherchant à juguler des représentations terrifiantes. L'enfant apparaît davantage sans défense qu'en organisation défensive. A l'autre extrême, l'enfant est «*toute souffrance*», perméabilité aux malheurs, «*lames dans les yeux*» comme le dit l'un des jeunes du service et, dans ce cas, toute l'énergie semble en effet mobilisée pour figer l'univers et pour en donner une explication «*délirante*» où se mêlent la traduction d'un ressenti, des recherches d'explication, des affirmations de toute-puissance, une curieuse érotisation de la peur, des introjections parcellaires liées elles-mêmes à des projections multiformes sur les personnes et sur les objets.

Mais peut-on vraiment affirmer que l'enfant psychotique ne puisse pas faire les frais de la séparation inhérente à toute symbolisation? Il est vrai que lorsqu'il s'améliore, il vit en effet souvent l'apaisement des images antérieures comme une perte difficile à assumer. Sommes-nous alors dans un discours nous indiquant la genèse du trouble ou dans celui nous montrant les bénéfices secondaires que toute perturbation apporte à l'être humain? Sommes-nous devant le problème d'un être qui n'ayant jamais connu autre chose qu'une vision morcelée des personnes et des choses doit se réaménager de nouvelles manières d'être et d'agir? Entre l'absence d'angoisse visible et l'angoisse mortifère, il y a tellement d'intermédiaires qu'on hésite à utiliser le même terme pour des ressentis qui sont probablement de nature différente.

La *vie fantasmatique* va d'une extrême pauvreté à une floraison d'images hallucinatoires dont le contenu surprend d'abord puis «*déprime*» en raison de ses répétitions. Le Pr Hochmann sait comme moi combien les équivalents symboliques sont multiples et se dispersent sur le monde des personnes et des choses. L'enfant ne peut pas lire «*parce que les lettres sont trouées*», écrire parce que les mots ne peuvent pas être séparés, calculer parce qu'à partir d'un certain chiffre, l'univers peut s'écrouler. C'est ici, entre autres, que la séparation classe/soins, me gêne car comment occulter la classe comme lieu de soins lorsque c'est dans ce lieu que vont être proposés les symboles liés à une culture et que c'est aussi dans ce lieu qu'à la fois la pensée va se réorganiser ou se figer.

Les *processus symboliques conscients* (imitation, langage, jeux, graphisme) ne sont pas seulement altérés par des mécanismes défensifs tels que l'exigence d'immuabilité, la peur de la créativité, la toute-puissance, la crainte de perdre, etc., ils sont profondément désorganisés. Ce n'est pas la place pour décrire en détails les caractéristiques du langage, du dessin et des jeux représentatifs chez maints enfants psychotiques. Cela va de l'absence à la surabondance des mots et des signes en passant par des constructions à la fois géniales et mortifères qui renferment l'enfant dans un monde où les significations autres que la traduction d'un ressenti immédiat tantôt lui échappent, tantôt le submergent, sans qu'il puisse établir des liens avec la réalité de la vie quotidienne perçue dans un recul. Là encore, je vois mal l'avantage de couper la classe du lieu de soins, alors que nous savons les immenses efforts de continuité qu'il nous faut déployer pour être contenant, moi auxiliaire, décodeur, point de références avec une partie de la clientèle dont nous avons à nous occuper.

Nous sommes tantôt dans le retrait autistique où se mêlent inextricablement défenses et non-réception ou réception lacunaire, tantôt dans le magma fusionnel où rien ne peut être reconnu dans son identité puisqu'il n'y a pas de distance entre le sujet et l'objet, tantôt dans l'effervescence d'images archaïques coagulées, condensées mais aussi décousues et lacérées par les captations immédiates de détails que le sujet ne parvient pas à regrouper dans un ensemble cohérent tout en les agglutinant à une vision déréelle de l'existence. Il faut en effet que *«s'établisse à travers le fonctionnement institutionnel une mécanique différenciatrice et une mise en perspective qui étaye les premiers efforts langagiers»*, mais nous constatons déjà souvent que la *«découpe des activités»* avec le changement inévitable de personnel, de disciplines, les modifications spatiales, l'oubli de certains objets prothèses, etc. déclenchent des réactions de panique, d'auto-mutilation comme si cette *«découpe»* était effectivement vécue sous le registre de la blessure corporelle intolérable, du *«démantèlement»*. Au nom de cette panique qui atteint aussi l'intervenant, nous courons sûrement le risque de faire le jeu de la monotonie, du figement et donc de la débilisation mais le risque est tout aussi grand de rendre inassimilables les échanges et *«les formes signifiantes»* en constituant des espaces qui ne partagent pas dans une expérience thérapeutique regroupée les mêmes attentes anticipatrices et les fameuses *«conjonctions»* dont parle le Pr Hochmann.

Les *capacités de socialisation* de la plupart de nos enfants sont très réduites. Soit ils sont dans leur isolement que seule la présence peu à peu significative d'un même adulte parvient à rompre à de brefs moments, soit ils sont dans une agitation fébrile, soit ils amorcent quelques épisodes de rencontres avec un petit groupe de pairs, généralement à la faveur d'une activité à la fois structurée et structurante. Là encore, le risque est grand en effet de constituer des *«isolats culturels où soignants et soignés s'enferment dans la négation de toute réalité extérieure»*. Nous avons donc besoin de créer des situations de déséquilibre soigneusement dosées. Les fins de semaine, les soirées, la vie en famille, les camps, des regroupements volontairement plus nombreux pour une activité de sports, etc., sont autant d'occasions pour mobiliser le dynamisme de chacun. Ces exemples montrent bien qu'à un moment donné il faut passer à «autre chose» telle qu'une intégration partielle ou totale dans une classe extérieure mais, à nouveau, je plaide en faveur d'un temps thérapeutique unique. Il permet à la fois des interventions sur la prise de conscience des bases de l'identité énumérées plus haut et une étroite articulation des attitudes qui tentent d'accompagner l'émergence des processus de pensée.

Si nous retrouvons bien un *système défensif* particulier dont l'homogénéisation et le clivage constituent les aspects les plus visibles, on peut décrire d'autres défenses telles que les tentatives répétées de désignation sans même attendre de réponses, un contrôle imposant à l'environnement non une absence d'organisation mais un excès d'organisation, des vérifications incessantes afin de maîtriser les confusions, en particulier sur le plan corporel, des périodes étonnantes de régression, un hyperdéveloppement de fonctions discriminantes contrastant avec la restriction des champs perceptuels, les mécanismes d'identifications projectives. Ces défenses sont à la fois très puissantes et très fragiles, cette fragilité s'accentuant d'ailleurs de manière paradoxale dans la période d'amélioration où l'enfant commence à prendre douloureusement conscience de l'étrangeté de ses conduites. Ces défenses s'infiltrent partout mais leur intensité est inégale selon les activités proposées. Pour les uns, le fonctionnement est meilleur dans tel domaine académique, pour d'autres dans les jeux symboliques, pour d'autres encore, dans les sports ou des approches s'appuyant sur l'eau. L'intérêt de ces états différents est de pouvoir organiser «*à la carte*» le programme de la journée afin d'utiliser des forces libérées dans une situation pour une autre situation immédiatement mise en place. La co-thérapie (un pédagogue et un éducateur travaillant ensemble dans le même local) parvient aussi à l'atteinte de cette mobilisation en pouvant se centrer sur un sujet particulier tandis qu'un autre adulte continue son travail avec le petit groupe. Ceci ne peut s'effectuer que s'il existe une unité d'action, sans parler de lieu de classe et de lieu de soins, mais en nommant un lieu thérapeutique où des activités scolaires s'intègrent à d'autres activités sensorielles, motrices, symboliques, interactionnelles, dans un «tout» qui sait, au moment fécond, se subdiviser en parties.

Le *travail avec la famille* suppose des rencontres régulières pour les parents eux-mêmes. Je ne veux pas dire par là que je défende l'idée d'une origine essentiellement psychogène des troubles psychotiques, sauf dans certaines situations. Je veux seulement dire que le fait de se trouver devant un enfant étrange et étranger, étonnamment poreux à l'inconscient de l'autre et transmettant de façon subtile ses propres activités lacunaires de pensée entraîne pour le couple parental et pour l'ensemble du système familial des réaménagements de la vie fantasmatique et de l'existence quotidienne qu'il est nécessaire d'oser regarder si on ne veut pas être emporté par le tourbillon et par l'assèchement dûs à la psychose. Ces échanges verbaux doivent s'accompagner de moments où, soit dans le bureau de l'intervenant, soit dans le lieu même des activités, les parents puissent partager des périodes de vie avec leur enfant où ils le découvrent à la fois différent et identique. Le comprenant mieux dans ce qu'il est et dans ce qu'il fait, ils le perçoivent moins étranger et donc moins aliéné. Cette réconciliation avec les aspects plus sains de l'enfant est tout à fait essentielle pour redéclencher l'émergence d'anticipations positives et, simultanément, pour faire le deuil au moins momentané de l'illusion de la normalité.

Il m'apparaît donc important que, pendant un certain temps, le contrat soit clair: l'enfant est dans une institution soignante où le pédagogique fait partie intégrante des soins. La famille est invitée à collaborer activement à cet effort thérapeutique non en «*jouant aux thérapeutes*» mais en saisissant mieux les enjeux de ce qui est entrepris et en osant utiliser toutes les ouvertures créées par les interventions pour offrir à la fois un «holding» et des «défis» nouveaux, en y retrouvant du plaisir.

Le problème de *l'équipe* est le dernier point que je voudrais aborder. Nous savons combien il est difficile de créer autour d'un enfant à l'échelon d'un service une vision suffisamment commune pour permettre la cohérence des interventions. Compte tenu des disciplines représentées à l'intérieur d'un service de soins de jour (pédagogues, éducateurs, psychiatres, psychologues, ergothérapeutes ou psychomotriciens, travailleurs sociaux, infirmières, orthophonistes), les interlocuteurs sont déjà en grand nombre et n'exposent pas aux mêmes situations de vie (ce qui est d'ailleurs essentiel). Je suis bien d'accord avec le Pr Hochmann quand il insiste sur l'importance des accompagnements, sur l'évocation de ce qui se fait *«ailleurs»*. Le côté parcellaire *«inaugurant un travail de symbolisation»* est sans doute vrai, mais comme il est déjà difficile avec ces enfants si morcelés de créer à la fois un contenant non submergé par le contenu psychotique et une *«mécanique différenciatrice»!* Cela suppose de se parler, de «s'exposer» mutuellement, de vider le trop plein et de remplir le trop vide, de canaliser les projections dont on est fatalement les objets. Plus l'enfant est atteint, plus nous savons que cette nécessité d'échanges, non pour faire la même chose mais pour avoir une pensée commune (ni trop paralysée, ni trop éparpillée) devient primordiale. Certes, cet effort peut déboucher sur l'ennui et la perte de sens ou sur les hallucinations collectives mais c'est aussi le dur travail d'un service de savoir traquer ces effets iatrogènes qui reviennent sans cesse et peuvent déboucher sur des aliénations dramatiques.

Voilà les réflexions que m'a soulevé le beau texte du Pr Hochmann. Merci de m'avoir ainsi permis de mettre en mots ce que le travail quotidien conduit souvent à ne placer que dans l'action.

Montréal, janvier 1994.

M.L. 1994

Réponse au Professeur Lemay

J'ai lu avec beaucoup d'intérêt et de plaisir le texte du Pr Lemay, et je me sens en profond accord avec lui. Notre débat dut-il en pâtir et tourner court, je ne peux que partager son point de vue sur la diversité des expériences psychotiques, la complexité des mécanismes de défense (qui ne peuvent se limiter à l'homogénéisation et au clivage), l'intérêt de la pédagogie comme expérience thérapeutique de réorganisation des pensées, mais aussi sur l'infiltration du matériel pédagogique par les projections psychotiques. Je partage également son opinion sur la multifactorialité et finalement sur l'incertitude où nous sommes quant à l'étiologie des psychoses qui ne peut se réduire à une pure psychogenèse. Je pense moi aussi que nos théories sont essentiellement projectives et qu'elles généralisent, souvent abusivement, une expérience *princeps* avec un enfant particulier qui joue alors, dans l'institution, le rôle d'un héros fondateur, d'un modèle structurant, valable pour quelques cas et pour une équipe. Comme le Pr Lemay, je considère, en effet, le travail institutionnel avec les psychotiques comme indispensable pour les aider à développer le sens de leur identité et pour se constituer ce qu'il appelle fort heureusement une *«colonne vertébrale psychique»*. Enfin, *last but not least*, je crois comme lui à l'importance du travail avec la famille pour établir une alliance coopérative avec les parents et pour les aider à développer leurs propres stratégies éducatives vis-à-vis de leur enfant. Où sont donc les points de désaccord?

Le Pr Lemay a cru déceler dans ma proposition de séparer lieux de soins et lieux d'éducation, deux risques. D'une part, il redoute que cette séparation favorise la tendance pathologique au morcellement. D'autre part, il craint que les dimensions thérapeutiques de la situation pédagogique ne soient pas pleinement utilisées. Sur ces deux points, je voudrais le rassurer en reprenant, au risque de me répéter, quelques éléments de mon argumentation précédente. La séparation que je propose n'est pas une *spaltung*, un clivage. C'est au contraire une opposition significative entre deux termes qui - comme les unités distinctives de la langue - n'ont de sens que l'un par rapport à l'autre. Le soin, c'est ce qui n'est pas de l'éducation et réciproquement. J'entends bien qu'il y a - j'ai dit mon accord là-dessus - une dimension thérapeutique dans la pédagogie. L'école offre à l'enfant des contenants de pensée et un processus ritualisé de mise au calme qui a une réelle valeur structurante pour tous les enfants, et pour les enfants psychotiques en particulier. L'apprentissage intellectuel, comme à l'orée de la vie cet autre apprentissage corporel qui s'exerce à travers les soins maternels, permet l'investissement d'une sorte de peau psychique, un pare-excitation, à l'intérieur duquel l'enfant va engranger, articuler et contenir ses expériences émotionnelles. Si l'environnement structuré, dont on nous rebat aujourd'hui les oreilles, a un intérêt dans le traitement de l'autisme, c'est bien celui-là. La méthode Teacch n'a fait que formaliser (et *«vendre»*), ce que nous savions depuis longtemps.

Je sais aussi - contrairement à ce que prétendait Mélanie Klein - qu'il entre inévitablement un élément pédagogique dans toute approche soignante. Il n'y a pas, même chez un adulte névrosé, de cure psychanalytique possible sans une certaine *«éducation»* au transfert. A fortiori, quand un psychothérapeute d'enfants psychotiques donne à cet enfant des interprétations, il lui enseigne, en même temps, un procédé de traduction d'une langue dans une autre des affects et des images qui le traversent. (Le cas de Dick de Mélanie Klein est, à cet égard, exemplaire.)

Mais c'est justement en raison de cette proximité et de ce recouvrement partiel des deux démarches qu'il m'apparaît nécessaire de séparer nettement les lieux et les moments de l'une et de l'autre. Leur différence est peut-être d'abord conventionnelle. Au départ, les objectifs et les méthodes ne sont pas si éloignés qu'on le croit! Mais dans la mesure où l'une et l'autre se déroulent dans un espace-temps différencié, elles deviennent significativement différentes. Dès lors, l'enfant peut s'appuyer sur cette différence spatiale et temporelle perceptible (puisqu'il faut marcher et prendre son temps pour aller de l'une à l'autre) pour étayer les premiers éléments de différenciation intrapsychique, intériorisés à partir de la différenciation dans le monde extérieur.

J'admets que c'est une tâche difficile et que les enfants ont beaucoup de difficultés à s'y aventurer, qu'ils mettent continuellement en oeuvre des processus de brouillage. Ce que je soutiens, c'est l'importance pour l'institution de ne pas se rendre complice de ces processus de brouillage, et la nécessité de contenir dans sa structure même et dans son fonctionnement des éléments qui désamorcent ce brouillage, bref, comme le dit le Pr Lemay, des *«situations de déséquilibre»*, une négentropie interne. L'existence de lieux séparés, le fait que les soignants trouvent leur identité de soignants dans l'appartenance à un lieu de soins, socialement identifié comme tel, et les pédagogues dans leur appartenance à une administration et à un établissement scolaire, reconnus par la collectivité, font partie de cette négentropie. Ce sont, si l'on veut, les *«colonnes vertébrales psychiques»* des soignants, et ils en ont bien besoin pour échapper à la contamination psychotique, à l'homogénéisation et au clivage que les patients leur font subir et qui attaquent leur propre pensée, en particulier leur capacité à penser à d'autres qu'eux dans la relation avec l'enfant. Cette triangulation psychique, base de toute action thérapeutique, exige d'eux qu'ils coopèrent étroitement entre eux et avec les pédagogues.

Dans l'institution que je dirige, et qui comporte un centre de soins ambulatoires et quatre classes thérapeutiques intégrées dans des groupes scolaires de la ville de Villeurbanne, les soignants accompagnent les enfants à l'école ou vont les chercher pour leurs activités thérapeutiques. Ils rencontrent, de ce fait, les maîtres quotidiennement, et parlent avec eux de l'enfant, devant l'enfant, pendant l'interclasse. Ce moment est essentiel pour la mise en place de ce que j'ai appelé *«conjonctions de coordination»*. A ces échanges informels, s'ajoutent deux réunions hebdomadaires formalisées entre soignants et enseignants, des visites dans les classes et des réunions périodiques avec les autres enseignants des écoles, pour éviter des phénomènes de ségrégation ou de rejet. Ce tissu d'échange permet la mise en place d'une histoire pour chaque enfant, histoire de ce qu'il vit avec les uns et avec les autres et que, petit à petit, il peut intérioriser comme sa propre histoire. C'est une histoire à épisodes, un roman-feuilleton. Elle n'a pas l'ordonnance d'une tragédie classique (unité de temps, unité de lieu, unité d'action) mais au contraire, le foisonnement, la multiplicité, le désordre d'un drame baroque ou romantique. Il m'arrive de penser que si la névrose s'accommode bien du classicisme, la psychose n'a que trop tendance à succomber à un ordre qui, dans son cas, devient vite mortifère. Elle a besoin d'un mélange de redondance et de dérangement.

Un dernier point. J'ai privilégié, dans mon abord du psychotique, la prise en considération de la dimension défensive. Je ne nie pas l'existence d'un déficit - en particulier dans l'autisme - qu'il soit initial ou secondaire, qu'il soit cause ou conséquence d'un effrayant processus de destruction de sa propre pensée. Simplement, nous ne pouvons pas grand-chose sur le déficit sinon nous adapter à lui, en créant d'éventuelles prothèses (ce qui n'est pas toujours sans intérêt). Par contre, nous pouvons tourner les défenses et aider l'enfant à les surmonter. Il est donc plus heuristique de privilégier ce point de vue, éventuellement au prix d'une certaine illusion anticipatrice... à condition toutefois de pouvoir assumer les risques d'une véritable désillusion et de pouvoir aider les parents dans ce moment crucial. Les leurrer serait pire qu'un crime, une faute!

Jacques Hochmann   Lyon, mars 1994.

Réponse au Professeur Hochmann

Il me revient dans ma deuxième réponse au Pr Hochmann non de conclure mais, au contraire, d'ouvrir sur ce qui nous rejoint et peut-être nous sépare. La zone de séparation est d'ailleurs toujours plus riche à mettre en évidence puisqu'elle mobilise nos réflexions et force à préciser nos pensées.

Sur la vision des psychoses infantiles tant au niveau des étiologies, de la diversité des processus en cours, de la relativité de nos théories qu'au niveau des principes de base d'un travail institutionnel, il me semble que nous nous rejoignons sur bien des points. Comme je l'ai dit dans mon premier texte, il y a intérêt, à une période de la cure, à séparer classe et service de soins, tout en conservant une étroite collaboration entre les deux instances, ce qui est loin d'être toujours facile. Une phase préalable d'approche institutionnelle unifiée m'apparaît cependant souhaitable dans un bon nombre de cas. Le problème est de savoir définir le «*moment*» de ce passage car bien des variables (fragilité évidente de l'enfant qui conduit au désir de perpétuellement le «soigner», désir pour l'équipe de garder un enfant qui commence à bien évoluer, pression des parents inquiets du changement, rivalités interinstitutionnelles, etc.) risquent de s'additionner pour brouiller notre objectivité.

Le point sur lequel nous divergeons probablement le plus est celui de savoir si, au-delà de la modification des phénomènes défensifs, nous croyons possible d'agir par un cadre structurant sur les aspects déficitaires de la psychose et sur les remaniements qui peuvent déboucher sur de nouveaux symptômes. Je crois que, pour bien des situations cliniques, nous pouvons aller au-delà de la création «*d'éventuelles prothèses*».

En fait, devant des atteintes psychiques si profondes, nous sommes toujours face à plusieurs situations qui s'enchevêtrent. Les capacités de réception, d'intégration et surtout d'organisation de la vie psychique sont altérées. Ces entraves tantôt globales, tantôt parcellaires, militent en faveur de la mise en place d'un milieu qui, s'appuyant sur une relation très individualisée au départ et sur l'émergence de motivations créées par la régularité des apports, dose soigneusement les stimulations fournies en s'interrogeant sans cesse sur les modalités d'assimilation sensorielles, cognitives, affectives et interactionnelles du sujet. Ceci ne peut se faire que par un décodage d'aptitudes perpétuellement accompagnées autant dans leur genèse que dans leurs oscillations. Il y a là une véritable «*science de l'accompagnement éducatif*» dont on ne soulignera jamais assez la valeur. Il ne m'apparaît pas utopique de constater que, par des conditions de vie bien étudiées dans leurs effets, tous les éléments de la colonne vertébrale psychique que j'ai énumérés puissent être soutenus dans leur émergence.

Les difficultés présentées par le sujet pour donner sens aux images adressées et les propres projections de l'environnement sur un être fragile et souvent étonnamment poreux amènent inévitablement famille et milieu institutionnel à faire peser le poids non seulement de leurs émotions actuelles mais celui de toute leur aventure existentielle sur le déroulement de la cure. Oser regarder cet aspect sans tomber dans les pièges de la culpabilisation ou d'une fascination stérile est une démarche fondamentale qui demande, là aussi, une certaine unité de personnes, de temps et de lieu.

L'enfant psychotique qui, à la fois prive de sens ce qu'il reçoit et, à la fois, submerge de sens ce qu'il réussit à interpréter, se bâtit un univers défensif et adaptatif qui lui permet de survivre. C'est vraiment une caractéristique étonnante du système cérébral de construire des images défensives pour désigner et expliquer le ressenti et de s'auto-intoxiquer avec ses propres représentations. Certaines des défenses s'inscrivent dans des répétitions où, de l'enfant au milieu et vice versa, les facteurs de conditionnement jouent un rôle décisif. Même si ce terme garde en Europe une connotation péjorative qui risque d'irriter plusieurs lecteurs, je le mets volontairement pour indiquer que certaines stéréotypies, certains rituels, certaines recherches d'immuabilité, certaines tournures du langage, etc., ont perdu depuis longtemps leur signification initiale et doivent être regardés non comme un langage sous-tendant un discours inconscient mais comme des manifestations répétitives qui doivent être levées par une approche basée sur le bon sens éducatif et pédagogique où valorisation des réponses escomptées et désintérêt, désapprobation vis-à-vis d'autres peuvent susciter de nouveaux circuits d'interaction et d'exploration.

D'autres processus défensifs (identifications projectives, clivage, mise à distance, tentatives de désignation lancinante et d'explication du ressenti, construction de toute une fantasmagorie gestuelle et verbale, etc.) sont beaucoup plus complexes et doivent faire l'objet d'une véritable cure psychothérapique autant dans «l'ici et maintenant» du travail institutionnel que dans le lieu privilégié d'une rencontre individuelle. C'est ici que je rejoins totalement le Pr Hochmann lorsqu'il écrit: «*Quand un psychothérapeute d'enfants psychotiques donne à cet enfant des interprétations, il lui enseigne, en même temps, un procédé de traduction d'une langue dans une autre des affects et des images qui le traversent.*» En raison des formidables difficultés rencontrées pour que cette traduction puisse s'enregistrer, là encore je souhaite que, dans une première phase, classe et soins de jour ne forment qu'une seule entité car nous savons bien que, pendant longtemps, l'enfant est beaucoup plus sensible à ce qui lui est dit sur le champ par un personnel capable de décoder les contenus latents dans le déroulement du vécu quotidien que ce qui lui est apporté dans le contexte inévitablement transitoire, donc aisément évanoui, d'une période limitée dans le temps qu'est une psychothérapie, même étalée sur quelques heures.

Je me garderai bien cependant d'affirmer que l'un ou l'autre a nécessairement raison dans ses points de vue. Le propre d'un leader est de savoir imprimer une marque qui oriente toute une équipe vers une pensée cohérente et donc structurante. Sur ce point, je suis sûr que nous nous rejoignons pour affirmer qu'une proposition d'orientation ne doit pas s'enfermer dans une école de pensée, aussi riche soit-elle. Elle est une tentative de réponse à un moment donné, en fonction d'une clientèle spécifique, par rapport à une situation déterminée. Classe et soins séparés ou regroupement de ces deux entités, le plus important est que ce dispositif constitue une enveloppe suffisamment structurante. Cela suppose une clarification des identités professionnelles réciproques et, au sein d'une même profession, des choix théoriques prédominants. Cela exige une cohésion d'action, ce qui n'est pas synonyme de fusion (bien proche alors de la confusion). Cela demande un effort perpétuel pour créer entre l'enfant en souffrance et l'institution soignante un espace psychique suffisant afin de garder la possibilité de penser ce qui est fait, en fonction non de la psychose mais de l'enfant psychotique qui demeure, en dépit de ses handicaps, un être en perpétuelle mutation.❖

Michel Lemay   Montréal, août 1994.

Day treatment centers have a relatively short history and their structures and functioning are still largely discussed. In this context, we thought it might be interesting to have the opinion of two eminent professors, Jacques Hochmann, professor at the Faculty of Medicine of the University of Lyon-Nord and Head of the child psychiatry section at Villeurbanne (CHS Le Vinatier), and Michel Lemay, professor of psychiatry at the Faculty of Medicine of the University of Montreal and Director of the Clinic of Autism at Ste. Justine Hospital. Acknowledging their vast experience and leadership in the domain, we ask those two clinicians to discuss the role of daycare centers. Among other questions, the following were at the center of the debate: should day treatment centers be therapeutically or educationally oriented? Considering the therapeutic and educational means required by those children, how do they envisage the relation between pedagogy and therapy ?

While presenting their views on psychosis and ways of interventions in the case of children presenting severe mental disorders, both correspondents consider and discuss each other's arguments. We reproduce here their correspondence exchanged over the past year which outlines in a most vivid way the past history and the present situation of this particular setting of treatment.

«Puis-je encore rester petite?» Annie

M.L., 1994

P.R.I.S.M.E. automne 1994, vol. 4, no 4

HISTOIRE et ÉVOLUTION
DES HÔPITAUX DE JOUR

Alain LEBEL

Le Dr LEBEL est psychiatre, chargé d'enseignement clinique au département de psychiatrie de l'Université de Montréal et responsable des hôpitaux de jour à l'Hôpital Rivière-des-Prairies où il travaille principalement avec une clientèle d'enfants d'âge préscolaire.

Donner une perspective historique à un mode de traitement aussi jeune que l'hôpital de jour ne va pas de soi, ses débuts remontant à peine à cinquante ans. La formule de soin *«hôpital de jour»* est encore en pleine évolution, si l'on considère les pathologies qui y sont traitées, (à des âges différents, scolaires ou préscolaires), la diversité des modèles théoriques et de leurs applications cliniques.

Nous nous intéresserons ici aux hôpitaux de jour qui reçoivent des enfants de moins de 12 ans, souffrant d'autisme, de psychose et de troubles graves du comportement. Nous avons choisi d'ignorer ceux qui s'occupent des adolescents, ces centres se situant, selon nous, dans un tout autre registre d'intervention. Au cours de cette enquête, nous avons été confrontés à la rareté des écrits touchant ces questions, ce qui nous a obligés à nous en remettre au rapport verbal des professionnels encore actifs dans ce domaine.

Le parcours proposé dans cet essai permettra d'abord de s'attarder sur la création et le fonctionnement des hôpitaux de jour dans quelques pays tout en considérant les courants de pensée qui ont prévalu dans ce domaine du traitement des troubles graves du développement chez les enfants. Partant de là, nous pourrons ensuite mieux situer l'évolution des idées et des pratiques au Québec et discuter de leur avenir.

Cet article retrace l'histoire, depuis leur naissance jusqu'à leur évolution actuelle, des hôpitaux de jour au Québec. L'auteur rappelle d'abord les grands courants d'idée qui ont influencé la mise en place des hôpitaux qui soignent des enfants de moins de douze ans souffrant d'autisme, de psychose, de prépsychose ou de troubles graves du comportement. Il s'attarde ensuite à définir les courants évolutifs présents dans les différentes institutions québécoises qui ont créé de telles structures pour en faire ressortir les similitudes et les différences et questionner le devenir de ces organisations.

Une innovation clinique

Les hôpitaux de jour pour enfants sont une invention américaine de l'Après-guerre. Il y avait bien eu des expériences antérieures de traitement durant les années 20, alors que les enfants de milieux défavorisés de Boston venaient sur une base quotidienne pour recevoir des soins mais ces structures n'étaient pas organisées de façon stable (Lang, 1992). Bien que les premières expériences débutèrent à la fin des années 40, cette approche de soin ne fut encouragée à se développer qu'au début des années 60 par l'Organisation Mondiale de la Santé qui reconnaissait alors l'hôpital de jour comme l'innovation clinique du siècle en psychiatrie (Zimet et Farley, 1985).

A cette époque, le mouvement anti-psychiatrique débutait, et on assistait à la prise de conscience des effets néfastes des hospitalisations prolongées. En même temps que la famille et la communauté reprenaient du service auprès des malades psychiatriques, le questionnement sur les coûts et la qualité des soins apparaissait. Ce contexte permit un essor considérable à cette forme de traitement aux Etats-Unis: de 10 en 1961, on passait à 1 300 centres en 1989 (Lewis, 1991).

En Europe, c'est la France qui s'intéressa le plus tôt aux possibilités de cette façon nouvelle de soigner. A Paris, Lebovici ouvre en 1960 le premier hôpital de jour pour enfants psychotiques; Launay, Daymas et Gaetner suivent, fondant en 1963 un centre consacré uniquement aux pathologies les plus sévères de l'enfant. Ce n'est cependant qu'en 1971 que s'installe le premier hôpital de jour réservé aux tout-petits, dirigé par Soulé dans le 14e Arrondissement de Paris. L'éclosion des centres se poursuit dans les années 70 et 80, alors qu'environ 200 centres sont recensés en France en 1987, soit à peu près 6 000 places (Lang, 1992).

En Angleterre, Rutter a rapidement imposé sa vision neuro-psychiatrique de la pathologie au milieu des années 60 et influencé grandement l'évolution des hôpitaux de jour dans ce pays (Rutter et Hersov, 1985). En Suède, il n'y a pas d'hôpital de jour comme tel, mais plutôt des classes spécialisées pour ces enfants (Zimet, 1988). En Suisse, on ne trouve qu'un hôpital en Suisse alémanique (Zurich) et six en Suisse française; les autres enfants sont hospitalisés (Zimet, 1988).

ÉVOLUTION DES THÉORIES

En parlant des hôpitaux de jour, on ne saurait passer sous silence les différents modèles théoriques qui ont sous-tendu les interventions thérapeutiques pratiquées dans ces centres à travers les années. Le Professeur Hochmann retrace d'ailleurs pour nous dans ce numéro l'histoire passionnante du traitement social, éducatif et médical réservé aux enfants *«aliénés»* depuis le 19e siècle.

Il n'y a pas si longtemps encore, aucune distinction diagnostique n'était faite entre ces enfants qui étaient classés comme des retardés profonds, qu'ils soient autistes, psychotiques ou déficients intellectuels. Cette absence de classification, en plus d'être génératrice d'un sentiment d'impuissance, limitait les possibilités de traitements spécifiques; ces enfants se retrouvaient alors de façon indifférenciée placés en institution.

La pédopsychiatrie a véritablement connu son essor à partir des années 40. C'est Kanner qui, le premier, décrit l'autisme en 1943, introduisant les premières nuances diagnostiques qui ont fait de l'autisme un syndrome différent du retard mental. Peu après, Mahler (1947) apporte la notion de psychose symbiotique. Ce sont ces premières distinctions diagnostiques qui permettent aux intervenants d'organiser des traitements pour ces enfants, et aux parents de commencer à réclamer des soins spécialisés pour leurs enfants malades.

Ces deux auteurs présentent deux façons très différentes de voir la psychose infantile, le premier, en faisant une description symptomatologique psychiatrique qui rapproche l'autisme de la schizophrénie adulte, la seconde, en se référant d'emblée à des concepts psychanalytiques qui seront appliqués aux enfants dans la foulée des découvertes de Mélanie Klein. Deux écoles de pensée sur l'étiologie vont donc évoluer en parallèle; l'une, *organogénique,* soutient le caractère constitutionnel des défauts d'intégration neuro-sensorielle des stimuli remarqués chez les enfants autistes ou psychotiques, alors que l'autre, *psychogénique,* met en relief un système de défenses massives contre le monde extérieur, édifié en raison de la faiblesse du système de pare-excitation des parents. Dans cette dichotomie s'inscrit déjà en filigrane la place plus ou moins importante que les parents auront dans le traitement de leur enfant, selon qu'on perçoit le problème comme un handicap ou comme une maladie liée à la famille.

La conception neurobiologique des troubles autistiques remonte aux écrits de Bender à New-York au début des années 40, suivie par Ritvo,

Ornitz et Rutter qui vont développer des traitements plus behavioraux. Ces approches évolueront ensuite vers des modèles tantôt axés sur la communication (Lovaas), tantôt sur la socialisation, l'autonomie et les processus cognitifs (Schopler) (Noshpitz, 1979). Un trait commun à tous ces modèles est qu'ils encouragent l'implication des parents dans la rééducation de leur enfant.

Du côté de la psychanalyse, ce sont les conceptions théoriques de Klein qui seront appliquées dans un premier temps, puis élaborées par ses successeurs comme Tustin et Meltzer de l'Ecole anglaise. Certains psychanalystes, dont Bettelheim avec son «école orthogénique», ont beaucoup influencé les traitements en proposant un modèle de compréhension basé sur une hypothèse psychogénique pure, allant jusqu'à exclure les contacts entre parents et enfants. Par la suite, une place a été faite aux parents mais davantage sous la forme d'une démarche introspective fortement souhaitée pour chaque parent. L'hypothèse dominante était que les changements à venir chez l'enfant devaient passer par un changement dans la structure de sa personnalité.

La pédopsychiatrie française influencée par les Diatkine, Soulé, Lebovici, Misès, va elle aussi orienter ses traitements en se basant sur la psychanalyse mais en développant une pensée en marge de l'Ecole kleinienne, et en accordant pour sa part une grande importance au travail d'équipe pour comprendre ces enfants (Ribas, 1992). Ce modèle de compréhension psychodynamique marquera un sillon profond et encore souvent infranchissable entre le milieu psychiatrique généralement d'orientation psychanalytique et les parents de même que leurs associations à la recherche d'approches plus éducatives pour ces enfants.

PETITE HISTOIRE QUÉBÉCOISE

Le Québec a suivi de près l'évolution internationale des tendances au niveau des hôpitaux de jour. Ceux-ci se sont développés principalement dans les grands centres, soit Montréal et Québec. En majorité, les régions ont plutôt mis sur pied des centres à vocations multiples pour traiter la plupart de ces enfants, ne demandant l'aide des centres tertiaires que dans les situations extrêmes.

Outre l'hôpital Sainte-Justine qui s'occupait des enfants malades, deux grandes institutions oeuvraient à Montréal auprès des enfants atteints de troubles psychiatriques: le Mont-Providence, orphelinat devenu par la suite l'hôpital Rivière-des-Prairies, recueillait les francophones et l'hôpital Douglas, surtout les anglophones. A Québec, le Pavillon-Ecole La Jemmerais, devenu le Centre Médico-Pédagogique, recevait les enfants de la région de Québec et de tout l'est de la province. Ce centre fut rattaché en 1968 à l'Hôtel-Dieu du Sacré-Coeur de Québec (Delage, 1978). Par la suite, plusieurs hôpitaux généraux ont ouvert des hôpitaux de jour en pédopsychiatrie.

L'hôpital Sainte-Justine, pionnier

Dès 1959, le Dr Simon Richer établit les bases d'un hôpital de jour à l'hôpital Sainte-Justine; les enfants sont hospitalisés et vont au centre de jour durant la journée dans une autre partie de l'hôpital (Le Petit Journal, 1er mai 1960). A partir de 1961, l'hôpital de jour comme tel se développe, fournissant traitements et évaluations prolongées aux enfants (Supplément de La Presse, 1er déc. 1962). La maternelle thérapeutique (Richer, Lecompte et al., 1974) accueillait sur une base journalière des petits enfants qui étaient pris en charge par une équipe multidisciplinaire où régnait l'éclectisme des approches psychothérapeutiques et rééducatives utilisées. On y recevait des enfants psychotiques (excluant les autistiques graves), prépsychotiques, des enfants dits précaractériels, carencés, déficients ou ayant des troubles organiques; à ces diagnostics s'ajoutaient, dans chaque cas, des troubles affectifs. On demandait aussi aux parents, le plus souvent la mère, de s'engager dans un traitement analytique individuel ou parfois de groupe.

L'hôpital de jour s'est agrandi dès 1965 en prenant des enfants plus vieux pour lesquels se sont graduellement développés des services pédagogiques adaptés à cette clientèle d'âge scolaire (Département de Psychiatrie, Hôpital Sainte-Justine, 1967). Ceci est toujours demeuré une caractéristique importante de l'équipe de Sainte-Justine que d'offrir une pédagogie intégrée à l'intérieur même de l'hôpital de jour pour protéger le plus longtemps possible le temps de soin, car on jugeait nécessaire que les enseignants s'adaptent de façon créative aux manières d'apprendre particulières et parfois étonnantes de ces enfants.

Durant les années 70 jusqu'au début des années 80, le modèle de compréhension psychanalytique devient clairement la base du traitement, suscitant un grand enthousiasme et de l'espoir chez les soignants pour ces enfants et leurs familles. Plusieurs pédopsychiatres s'y impliquent dont les docteurs P. Cousineau (1976-78), Y. Forget (chef du service de 1978 à 1985), P. Drapeau, J. Legendre et A. Masse. On se réfère à différents théoriciens, tant de l'école française qu'anglaise, dans une démarche de recherche qui vise à explorer le mode de fonctionnement de la pensée de ces enfants. Bien que cette nouvelle orientation ait été fructueuse dans le cas de plusieurs enfants, certains traitements ont achoppé mais n'en ont pas moins servi à alimenter la réflexion aux niveaux théoriques, pédagogiques et psychiatriques (Forget, 1983).

A partir de 1985, c'est le Dr M. Lemay qui assume la direction des soins de jour. L'orientation de base reste l'approche psychanalytique, mais l'étiologie des pathologies est envisagée plus largement, suivant ainsi les courants internationaux qui insistent sur les déficits cognitifs et neuro-sensoriels. Les enfants traités sont répartis en un groupe «maternelle» (avant 5 ans) et deux sous-groupes «scolaires» (6 -12 ans). Dr P. Drapeau poursuit son implication auprès d'un groupe scolaire, Dr J.P. Pépin s'occupe de la maternelle alors que Dr Lemay assume l'autre groupe scolaire et la clinique spécialisée d'évaluation et de diagnostic des troubles graves du développement. C'est également au cours de ces dernières années que les «groupes du soir», accueillant des enfants après les heures de classe, ont été mis sur pied, complétant les modalités de soins offertes à ces enfants.

Les institutions psychiatriques

Dans le cas des deux institutions pédopsychiatriques montréalaises et de celle de Québec, les hôpitaux de jour qui y furent créés sont dérivés d'unités d'hospitalisation déjà existantes. Elles mirent un certain temps à s'adapter à des modèles d'intervention plus légers, compte tenu de la lourdeur des structures institutionnelles mais aussi du fait des pathologies graves auxquelles elles étaient confrontées. Tel que mentionné plus haut, l'hôpital Sainte-Justine, jusqu'en 1974, ne s'occupait pas des cas d'autisme les plus sévères et référait ces enfants à ces institutions où ils étaient hospitalisés.

Ce n'est qu'en 1974 que le Dr Sigmund Benaroya arrive à mettre sur pied à l'hôpital Douglas un centre de jour que les enfants fréquentent tout en gardant les liens avec leur milieu familial où ils retournent chaque soir. La clientèle déjà présente, atteinte de pathologies neurologiques, de déficiences intellectuelles souvent importantes, oriente d'emblée le traitement du côté neuro-développemental qui prenait forme aux Etats-Unis à la suite de Bender, Ornitz (stimulation vestibulaire) et Ritvo. Ces enfants étaient plus âgés et pouvaient fréquenter les hôpitaux de jour selon différentes modalités adaptées jusqu'à l'âge de 18 ans. L'influence américaine et anglaise et les pathologies des enfants ont marqué l'orientation théorique sous-jacente, poussant les équipes de soin à développer des traitements behavioraux et cognitifs (Benaroya, communication personnelle, 1994).

Au cours des dernières années, on a cependant vu un réaménagement de la clientèle desservie qui est constituée d'enfants plus jeunes avec de petits groupes de maternelle thérapeutique (enfants de 2 à 4 ans), d'âge scolaire (où la pédagogie occupe une place centrale tout en mettant l'accent sur les habiletés sociales) et enfin un groupe d'orientation psychodynamique formé d'enfants ayant de graves troubles de comportement (Grizenko, 1990).

L'hôpital Rivière-des-Prairies (Vinet, 1969) est, lui aussi, héritier d'une clientèle d'enfants souffrant de handicaps multiples mais il a connu également des problèmes internes propres à son changement de vocation (d'orphelinat à hôpital) survenu en 1969. Il attendra donc le début des années 80 où, grâce à des réorganisations internes, peuvent s'ouvrir des hôpitaux de jour; les enfants se rendent alors pour la journée dans différents groupes où ils côtoient les autres enfants hospitalisés. Ce n'est que quatre ans plus tard (1984) que les hôpitaux de jour deviennent autonomes et se consacrent aux enfants d'âge préscolaire regroupés dans trois sous-groupes semblables. La majorité des enfants accueillis ont des retards sévères de développement (autisme et psychose infantile), bien qu'on y intègre aussi des enfants avec de graves troubles du comportement ou des carences affectives (Lalonde, 1988). Même si le modèle de compréhension est psychodynamique, s'inspirant aussi bien des auteurs anglais que français, les pratiques de l'ensemble de l'équipe reflètent un éclectisme dans l'utilisation de ces approches.

Enfin, les trois hôpitaux de jour ont été progressivement intégrés dans la communauté au cours des récentes années, permettant ainsi une prise de distance face à une image institutionnelle encore très forte. La prise en charge de ces enfants débutant en bas âge, un bon nombre d'entre eux entameront ensuite leur scolarisation dans une école affiliée à l'hôpital Rivière-des-Prairies (école Marc-Laflamme) où des enseignants spécialisés prendront la relève des services cliniques qui viennent alors s'ajouter à la pédagogie. Pour les autres enfants, ils seront plutôt dirigés vers des classes spécialisées du réseau scolaire montréalais.

A Québec, on retrouve aussi un hôpital de jour pour enfants psychotiques dans le Centre médico-social (Delage, 1978). Rattachée d'abord à une unité de soins interne, ce n'est qu'en 1984 que l'unité pouvait consacrer ses 12 places au traitement sur une base externe d'enfants souffrant de troubles graves du développement et de troubles du comportement. Depuis trois ans, 10 places sont réservées au traitement à long terme d'enfants qui présentent un autisme important et 2 places sont gardées pour des évaluations plus ou moins prolongées.

Ceci constitue un virage important par rapport aux moyens auparavant consentis et aux traitements offerts aux enfants souffrant de troubles envahissants du développement (DSM-IV) plus sévères. La méthode adoptée récemment qui vise à l'acquisition de l'autonomie et de la socialisation s'appuie sur des plans de soins individualisés pour chaque enfant et elle démontre un intérêt spécial pour la stimulation neuro-sensorielle. Une place importante est réservée aux contacts entre les parents et les éducateurs. Cet hôpital a aussi une école dans ses murs que les enfants peuvent fréquenter lorsqu'ils sont suffisamment prêts, la possibilité leur étant offerte de fréquenter selon des temps variables l'hôpital de jour et l'école.

Hôpitaux de jour dans les hôpitaux généraux

Plusieurs hôpitaux généraux ont permis la mise sur pied d'hôpitaux de jour dans leur service de pédopsychiatrie dès le début des années 70, alors que d'autres l'ont fait un peu plus tard. Le centre de jour de l'hôpital Maisonneuve-Rosemont existe depuis 18 ans, le Centre Hospitalier Régional de Lanaudière (C.H.R.D.L., Joliette) reçoit une clientèle d'âge scolaire depuis déjà une vingtaine d'années avec des classes intégrées, et celui du Pavillon Albert-Prévost de l'hôpital du Sacré-Coeur de Montréal fête ses dix ans d'existence en 1994. Du côté anglophone, deux hôpitaux ont aussi des places de soins de jour depuis le début des années 1970, soient l'hôpital Royal Victoria et l'hôpital Général Juif. Plusieurs de ces hôpitaux de jour, ont cependant vu se réduire leurs possibilités d'offrir des services au cours des années, en raison de restrictions budgétaires.

Au Pavillon Albert-Prévost, le Dr Tétreault avait des projets de centre de jour déjà dans les années 60. D'autres plans ont été présentés par le Dr Forget au début des années 70. C'est cependant grâce à la ténacité du Dr J.J. Desjardins que le centre ouvrit ses portes en 1984. Localisé d'emblée dans la communauté et donc plus près des familles, il se consacre à une clientèle d'enfants d'âge préscolaire souffrant de retards de développement. Le centre offre à ces enfants une fréquentation à temps partiel, compte tenu des moyens disponibles mais aussi dans l'esprit de conserver les liens avec le réseau naturel de l'enfant (garderie, école de quartier). Un soin particulier a été porté au choix des professionnels qui y travaillent en partageant les bases théoriques d'une orientation psychodynamique, tout en laissant place à beaucoup de créativité dans les approches utilisées auprès des enfants.

A l'hôpital Maisonneuve-Rosemont, l'idée d'un hôpital de jour s'est imposée à partir des demandes faites par les cliniques externes de pédopsychiatrie. Il a débuté ses activités en 1976 avec une équipe multidisciplinaire. Au départ, il avait été prévu de recevoir des enfants d'âge préscolaire et scolaire, mais après deux ans de services, la difficulté d'intégrer la pédagogie aux soins a entraîné l'abandon du volet scolaire pour se consacrer exclusivement aux plus jeunes. Au cours des dernières années, la clientèle a aussi changé; on y accueille surtout des enfants prépsychotiques ou dysharmoniques ou des enfants à risque de développer des troubles de la personnalité. Une approche psychodynamique et relationnelle s'applique bien à ces pathologies. Ceci représente une évolution par rapport aux années où on recevait plus d'enfants autistiques ou psychotiques qui sont maintenant référés au réseau scolaire. La fréquentation est à temps partiel pour ces 5 ou 6 enfants reçus le matin ou l'après-midi; il a donc fallu développer des liens plus étroits avec les ressources existant dans le territoire desservi.

Enfin, à Joliette, un hôpital de jour existe depuis 1967, sa création ayant coïncidé avec l'ouverture des services pédopsychiatriques à l'hôpital psychiatrique St-Charles de Joliette (devenu par la suite le C.H.R.D.L.). Une quarantaine d'enfants présentant des pathologies sévères y étaient sous les soins du Dr A. Gagnon. En 1975, quatre sous-équipes ont été formées et ce fonctionnement est demeuré. Aux enfants avec des pathologies sévères s'ajoutent des enfants vivant des troubles réactionnels auxquels la famille ou l'école ne peuvent répondre. Au cours des années, l'âge de la clientèle a diminué, laissant plus de place pour des traitements précoces. Les enfants y sont accueillis dès l'âge de 3 ans jusqu'à 12 ans. Le choix d'admettre ou non un enfant repose souvent sur la tentative d'anticiper une évolution positive de sa part. Or la complexité de ces pathologies rend très difficile de prévoir le devenir de l'enfant et ceci amène les équipes à remarquer des périodes de stagnation dans le cas de certains enfants qui évolueront par moments plus lentement. (Bourassa, 1986). Ce centre, que le docteur G. Bourassa dirige depuis 1977, demeure un des seuls encore actifs en dehors des grands centres.

Du côté anglophone à Montréal, deux hôpitaux de jour sont en fonction: un à l'institut Allan Memorial de l'hôpital Royal Victoria, l'autre à l'hôpital Général Juif. Le premier, dirigé par le Dr C. LaRoche est un petit centre de jour où une douzaine d'enfants sont traités chaque année (Cramer-Azima, LaRoche et al., 1989). Ceux-ci, âgés de 6 à 12 ans, présentent essentiellement de graves troubles des conduites ou d'opposition, (les cas d'autisme, de psychose ou de retard mental sont exclus). Le mode de fonctionnement présente une originalité qui est issue d'une contrainte. En effet, les enfants viennent à l'hôpital trois jours par semaine et les deux autres jours, ils se rendent dans une école de quartier, accompagnés de leur professeur. La scolarisation est un point central du traitement auquel s'ajoutent les diverses formes de psychothérapies (individuelle, de groupe ou familiale). Cet hôpital de jour est en fonction depuis 1974; à cette époque, il y avait cinq professeurs, alors qu'il n'en reste plus que deux. Il a été graduellement réduit de taille avec les années, au profit du développement de ressources scolaires spécialisées dans le réseau de la Commission des Ecoles Protestantes de Montréal.

Déjà en 1967, l'hôpital Général Juif avait une unité d'hospitalisation interne où des enfants souffrant d'autisme sévère étaient traités par une approche behaviorale. En 1970, le département de pédiatrie auquel cette unité était rattachée a fermé ses portes et le département de psychiatrie a proposé de garder l'unité pour en faire un hôpital de jour. Avec les années, la clientèle s'est modifiée allant vers des pathologies plus variées comme des troubles envahissants du développement légers, des troubles du comportement associés à des situations sociales ou familiales complexes.

L'unité peut donc accueillir des enfants de 3 à 12 ans d'origine anglophone. Des groupes de sept enfants sont formés, selon l'âge et un modèle scolaire, de la pré-maternelle à la sixième année. Les enfants y viennent quatre jours par semaine, une demi-journée à la fois pour les plus jeunes, tandis que ceux d'âge scolaire vont en classe le matin et reçoivent divers traitements l'après-midi. Le cinquième jour de la semaine, les enfants fréquentent une garderie ou l'école du quartier, toujours avec l'idée d'un retour dans ce milieu naturel le plus rapidement possible. Le traitement est axé sur la modification des comportements même si les approches psychodynamique et systémique-familiale sont intégrées à ces interventions. Ainsi, la famille doit nécessairement s'impliquer dans le traitement sous peine d'être exclue du programme. La réorientation graduelle dans le choix de la clientèle traitée a été motivée par le fait qu'un plus grand nombre d'enfants pouvaient ainsi être soignés, surtout qu'une école privée pour enfants autistiques (Giant Steps) s'est ouverte entretemps, permettant à ces derniers de bénéficier d'une ressource spécialisée de qualité.

Nous pouvons constater que les pathologies et les indications thérapeutiques pour fréquenter un hôpital de jour varient quelque peu d'un centre hospitalier à l'autre. Certains accueillent les autistes les plus sévères, d'autres se limitent aux psychoses de l'enfant, d'autres font une place importante aux enfants avec des déficiences intellectuelles secondaires à des troubles neurologiques ou aux enfants carencés avec des troubles graves du comportement ou de la personnalité. L'âge de fréquentation varie aussi souvent en fonction de la possibilité de scolariser ou non les enfants en traitement. Autre fait important à noter, la majorité de ces hôpitaux de jour sont animés par plusieurs professionnels, psychologues, ergothérapeutes, orthophonistes, travailleurs sociaux, qui ont élargi, par l'apport propre à chacune de ces disciplines, le champ d'intervention et la vision de celles-ci, dépassant ainsi souvent le cadre psychanalytique classique de soin. Chacun des hôpitaux de jour réfère aussi aux cliniques externes du secteur pour des ressources supplémentaires en cours ou à la fin de certains traitements. Il apparaît finalement que la région de Montréal se trouve la mieux pourvue pour dispenser des soins psychiatriques à tous ces enfants, selon différents registres d'intervention spécialisée.

ENJEUX ACTUELS

L'hôpital de jour est une création médicale et psychiatrique qui en est venue à offrir aussi des services pédagogiques aux enfants soignés, tellement le processus de soin et la réalité de l'apprentissage paraissent intriqués dans la vie de l'enfant. L'originalité de cette structure amènera-t-elle sa disparition? L'autisme, comme la déficience mentale autrefois champ de pratique des médecins, semble en voie d'être inscrit dans le registre de l'éducation et de la psycho-éducation. Si on se fie à l'éclosion du nombre grandissant de classes spécialisées offertes dans le réseau scolaire à ces enfants, alliée aux pressions des parents cherchant une normalisation la plus grande possible de leurs enfants, et aux enjeux économiques opposant éducation et santé, les modes actuels de pensée autour de cette problématique convergent dans ce sens.

Dans un domaine comme celui de l'intervention auprès d'enfants malades, souffrant de pathologies psychiatriques sévères dont l'évolution positive est lente, il n'est pas rare d'assister à de forts mouvements d'idéalisation suivis de déception devant les traitements offerts. Chaque nouvelle possibilité de traitement fait surgir de nouveaux espoirs, souvent fragiles, qui entraînent d'autant une tendance au repli sur soi des équipes impliquées et une méfiance face aux critiques extérieures, comme s'il fallait maintenir une position de toute-puissance pour pallier à l'impuissance quotidienne. Des rivalités se bâtissent ainsi entre les institutions et les disciplines, ce qui rend le travail avec ces enfants encore plus difficile.

Evoluant dans une société qui nie la maladie au profit de concepts tels que celui de santé mentale, où les institutions psychiatriques ont mauvaise presse et sont victimes de leur système souvent clos et du poids des maladies chroniques, quelle place pourra ou devra garder la pédopsychiatrie dans ce domaine? Les pédopsychiatres seront-ils confinés à un rôle d'«émetteurs de diagnostic»? Parmi les enfants qui seront encore traités en pédopsychiatrie, devrons-nous aller vers une plus grande spécialisation des traitements offerts à ces derniers? Le débat autour de ces questions semble vraiment engagé.

Conclusion

Nous avons assisté depuis 50 ans à une meilleure définition des troubles psychiatriques chez l'enfant en général, surtout concernant les pathologies sévères. Par rapport aux problèmes posés par les enfants autistes ou psychotiques, deux pôles de recherche s'affrontent au plan étiologique, l'un organogénétique, l'autre, psychogénique. Les théories de ces deux écoles de pensée continuent d'évoluer en parallèle, s'opposant souvent encore l'une à l'autre.

Dans le Québec francophone, l'influence des écoles pédopsychiatriques françaises a été très importante, amenant l'approche psychanalytique à tenir une place centrale dans l'orientation de la plupart des hôpitaux de jour. Ajoutons que l'apport d'autres disciplines a enrichi le traitement des enfants, que l'on pense seulement aux ergothérapeutes ou aux orthophonistes qui abordent d'autres facettes de la problématique de ces enfants, tout en adhérant aux concepts psychodynamiques. Ce n'est que plus récemment que certains centres ont commencé à s'inspirer de méthodes américaines de traitements behavioraux, telle l'équipe de l'Hôtel-Dieu de Québec. Du côté anglophone, les écoles de pensée américaine et anglaise ont influencé la conception même du rôle des hôpitaux de jour et leur développement subséquent.

Il est cependant surprenant de constater qu'un réseau qui comporte autant de points de services ne présente pas plus de spécificité en matière de traitement et de clientèle desservie. Chaque centre, dans des proportions variables bien sûr, traite des enfants autistes ou psychotiques ou avec des troubles sévères du comportement. La mixité des pathologies à l'intérieur d'un même centre, favorisée par la sectorisation de la psychiatrie, apparaît comme un facteur dynamisant; cette mixité est justifiée aussi par la lourdeur du travail avec des enfants ayant des pathologies chroniques. Sans nier la réalité dynamisante de la mixité, ne devrait-on pas chercher à développer des modes de traitements plus adaptés à ces différents troubles, dès que le diagnostic est bien étayé? Autrement, il semble que la tendance pour plusieurs hôpitaux de jour pédopsychiatriques (à l'exception des institutions asilaires) à laisser aller les enfants autistes vers le réseau scolaire même avant l'âge légal de scolarisation, ne fera que s'accentuer.

Enfin, l'évolution des différents centres s'est souvent faite en privilégiant le traitement des enfants d'âge préscolaire, délaissant ainsi les enfants plus vieux et en cours de scolarité en raison du difficile mariage du traitement et de l'éducation. Différents modes de fonctionnement ont été élaborés pour pallier à cette difficulté: ou bien l'école dans le centre de jour, ou une école spécialisée pour ces enfants, ou des enseignants spécialisés travaillant dans les écoles régulières. Malgré tout cela, la question du soin à apporter à ces enfants rendus à l'école demeure ouverte, surtout qu'on sait très bien qu'en quittant l'hôpital de jour, et même si un certain travail a été accompli, il y a encore un long chemin à parcourir pour ces enfants. Doit-on se retirer de ce champ ou essayer de développer d'autres modalités de soin, comme les «centres de soir» ou d'autres formes de collaboration avec les écoles?

Soigner ou éduquer ? Fausse question ! Soigner et éduquer. Telle devrait être la philosophie adoptée face à ces enfants en difficulté, en essayant de faire ensemble plutôt que contre l'autre dans la recherche d'une complémentarité. Il reste à développer encore plus des façons originales de collaborer entre soignants et éducateurs face à des enfants qui nous lancent de tels défis.

Remerciements

Cet article n'aurait pas été possible sans que je puisse recueillir différents témoignages et documents auprès des personnes intéressées. Je tiens donc à remercier les docteurs M. Lemay, Y. Forget, P. Drapeau, J. Legendre, J.P. Pépin, S. Lépine de même que D. Marchand de l'Hôpital Ste-Justine, le docteur S. Benaroya de l'Hôpital Douglas, le docteur L. Houde et Mme A. Lalonde de l'Hôpital Rivière-des-Prairies, le docteur D. Bouchard et Mme C. Théroux de l'Hôpital Maisonneuve-Rosemont, les docteurs M. Reid-Perreault et G. Lavoie de l'Hôpital du Sacré-Coeur de Montréal (Pavillon Albert-Prévost), le docteur G. Bourassa affilié au précédent ainsi qu'au C.H.R.D.L. (Joliette), le docteur J.J. Desjardins de Joliette, le docteur C. Laroche de l'Hôpital Royal Victoria, le docteur J. Gradinger de l'Hôpital Général Juif de Montréal. Le docteur J. Thivierge et Mme M. Descarreaux m'ont renseigné sur l'Hôpital du Sacré-Coeur de Québec.

This article recalls the history of day care centers in Quebec, looking at their beginning and subsequent development. The author states the trends of opinion (antipsychiatry, cost of services, desinstitutionalization, etc) that have influenced the installation of these centers specialized in the care of severely disturbed children (under twelve years of age) suffering from autism, psychosis or acute conduct disorders. While defining the evolution of tendencies in various Quebec institutions where such structures have been created, the author brings out their similitudes and differences and he further discusses the future of these organizations.

Rééfénces

American Psychiatric Association. **DSM-IV: diagnostic and statistical manual of mental disorders**. 4th ed. Washington: American Psychiatric Association, 1994.

Bourassa G. et al. **Le centre de jour: son fonctionnement, ses objectifs et ses orientations**. Centre hospitalier régional de Lanaudière, Service de psychiatrie infantile, 1986. 13p.

Cramer Azima FJ, Laroche C, Engelsmann F, Azima-Heller RL. Variables related to improvements in children in a therapeutic day center. **Int J Therapeutic Communities** 1989;10(2):91-100.

Delage J. 50 ans de pédopsychiatrie à Québec. **Cahiers Pédopsychiatriques** 1978;9:5-10.

Fish B, Ritvo ER. Psychoses of childhood. In: Noshpitz JD, Ed. **Basic handbook of child psychiatry (vol. 2)**. New York: Basic Books, 1979:249-304.

Forget Y. **Réflexion autour des soins de jour de l'Hôpital Sainte-Justine**. [Texte non publié] Montréal: Hôpital Sainte-Justine, Département de psychiatrie, 1983. 10p.

Gaetner R. Les hôpitaux de jour pour enfants. **Sesame** 1987;82:3-8.

Grizenko N, Sayegh L. Evaluation of the effectiveness of a psychodynamically oriented day treatment program for children with behavior problems: a pilot study. **Can J Psychiatry** 1990;35(8):519-525.

Hersov L, Bentovim A. In-patient and day hospital unit. In: Rutter M, Hersov L, Eds. **Child and adolescent psychiatry**. 2nd ed. London: Blackwell Scientific Publ., 1985:771-779.

Lalonde A. L'hôpital de jour: une alternative à l'hospitalisation de jeunes enfants. In: Actes du 3e Congrès national du nursing psychiatrique: **Prendre part aux défis en nursing psychiatrique et en santé mentale**. Montréal, 1988;6:527-537.

Lang JL. Histoire et mémoire des hôpitaux de jour. In: Soulé M, Golse B. Eds. **Les traitements des psychoses de l'enfant et de l'adolescent**. Paris: Païdos, 1992:260-282.

Pruitt DB, Kiser LJ. Day treatment: past, present and future. In: Lewis **Child and adolescent psychiatry: a comprehensive textbook**. Baltimore: Williams & Wilkins, 1991:878-890.

Noshpitz JD. **Basic handbook of child psychiatry**. New York: Basic Books, 1979.

Ribas D. **Un cri obscur: l'énigme des enfants autistes**. Paris: Calmann-Lévy, 1992.

Richer S, Lecompte FV, et al. La maternelle thérapeutique: philosophie de traitement. **Rev Neuropsychiatrie Infantile** 1974;22(4/5):335-350.

Tomkievicz S, Assouline M. et al. Autisme et psychoses précoces: évolution historique et situation en France. **Sesame** 1993;107:3-5.

Vinet A. **De Mont-Providence à Rivière-des-Prairies ou la poursuite d'un espoir en psychiatrie institutionnelle**. Montréal: Hôpital Rivière-des-Prairies, Bibliothèque, 1969. 207p.

Zimet SG. An american perspective on day-treatment programs for children in Sweden. **Int J Partial Hospitalization** 1988;5(2):151-163.

Zimet SG. An american perspective on day-treatment programs for children in Switzerland. **Int J Partial Hospitalization** 1988;5(1):67-83.

Zimet SG, Farley GK. Day treatment for children in the United States. **J Am Acad Child Psychiatry** 1985;24(6):732-738.

«À l'hôpital de jour, je pourrai laisser tomber ma peau-momie» Daniel

M.L., 1994

LA THÉRAPIE DE MILIEU
Quand les désirs des soignants côtoient les besoins des patients

«Nous ne pouvons traiter l'angoisse qu'en travaillant sur l'inconscient»

E. Dreuvermann

Lucie DAVID

Pédagogue de formation et psychothérapeute d'enfants, Mme David a été éducatrice-chef et superviseur en milieu-thérapie. De 1966 à 1990, elle a assumé la coordination clinique du Service des soins de jour (section scolaire) du Département de psychiatrie de l'hôpital Sainte-Justine.

Le programme de thérapie de milieu offert dans le cadre du Service des Soins de Jour au département de psychiatrie de l'hôpital Sainte-Justine fut mis en place dans les années 66-67 et a connu un développement progressif jusqu'à nos jours. Des hôpitaux de jour existaient déjà en Europe et dans certains centres américains mais leurs programmes ne correspondaient pas exactement aux objectifs et aux besoins thérapeutiques que nous visions à cette époque.

En 1966, un embryon d'équipe (une pédagogue, une psycho-éducatrice et une jardinière d'enfants) mettait en place une nouvelle formule, en collaboration étroite avec l'équipe multidisciplinaire formée du psychiatre responsable, de psychologues, travailleurs sociaux, psycho-éducateurs et jardinières d'enfants. Nous tentions alors de créer une unité de soins intensifs qui accueillerait des enfants de la période de latence, i.e. de 6 à 13 ans, gravement perturbés et ne pouvant fonctionner dans aucune autre structure existante.

L'intérêt d'implanter en centre de jour une approche rééducative systématique axé sur des programmes individualisés, est qu'elle amène les soignants à poser un regard nouveau sur les enfants dont ils s'occupent. Avant l'apparition de ces centres, ces jeunes patients étaient gardés dans

L'auteure décrit dans cet article la philosophie de soins élaborée par l'équipe du Service des Soins de jour de l'hôpital Sainte-Justine au cours de ses trente années d'existence et discute plus particulièrement des objectifs poursuivis en milieu-thérapie auprès d'enfants d'âge scolaire souffrant de pathologies graves telles que psychose, pré-psychose et troubles sévères du développement.

Considérant le rôle et le vécu des soignants exposés quotidiennement à cette clientèle, l'auteure énonce les moyens mis en place pour maintenir la cohésion et la créativité de l'équipe soignante. Elle souligne enfin les pièges et les paradoxes inévitablement rattachés à cette pratique thérapeutique.

des institutions où on se contentait de les occuper, où ils étaient souvent privés de toute alimentation moïque et où leurs symptômes et leurs limites ne faisaient que rarement l'objet de soins appropriés. L'introduction de plans de soins organisés autour d'objectifs précis et gradués et faisant appel à un éventail de moyens thérapeutiques variés et complémentaires a présidé à la création d'une véritable pédagogie curative.

Devant les besoins de ces enfants et ceux de leurs familles, il nous est rapidement apparu que d'autres ressources étaient nécessaires et, graduellement mais toujours en fonction des objectifs visés, diverses disciplines telles que psychomotricité, ergothérapie, orthophonie, sont venues se greffer à la structure initiale. On sait combien le travail en équipe multidisciplinaire est devenu une donnée courante aussi bien en clinique interne qu'en externe, mais il est tout de même intéressant de rappeler que cette intégration de connaissances et d'expertises diverses a fait l'originalité et représenté dès le début un point fort du programme. Ces professionnels qui, tout en s'inscrivant dans la démarche thérapeutique développée au cours des années, permettaient d'élargir l'éventail des ressources et contribuaient, par leur présence en périphérie, à apporter un éclairage et un soutien aux éducateurs exposés quotidiennement au contact d'enfants sérieusement perturbés.

Critères d'acceptation

Il s'agit soit d'enfants qui poursuivent un traitement déjà amorcé en Maternelle thérapeutique ou encore qui, malgré un potentiel intellectuel souvent préservé, ont dû être retirés d'écoles spécialisées le plus souvent en raison de leurs troubles de comportement et de leurs problèmes de socialisation et de communication.

La grande majorité des enfants admis présentent plusieurs traits communs: une angoisse envahissante qui entrave leur vécu quotidien, un repli partiel ou total, un rapport inexistant ou distordu à leur corps, l'absence de langage ou un langage non communicatif; le refus de contact ou, à l'inverse, une fusion sans reconnaissance de l'autre comme différencié; des mécanismes de fuite et de peur et l'utilisation de l'agressivité sur le mode de passages à l'acte souvent explosifs et destructeurs.

L'évaluation de l'enfant doit avoir mis en évidence des secteurs sauvegardés permettant d'entrevoir, malgré la gravité des atteintes, un potentiel évolutif et la perspective d'une réintégration éventuelle dans un milieu moins protégé. Les cas souffrant de déficience intellectuelle grave sont plutôt orientés vers des ressources spécialisées répondant davantage à leurs besoins.

Un autre critère d'acceptation important est l'ouverture manifestée par le système familial et la capacité des parents à s'impliquer activement dans le traitement de leur enfant.

Objectifs et moyens

Nos objectifs rejoignent pour l'essentiel ceux de Fénichel (Richer et David, 1975) qui décrivait les buts de l'école de jour de la façon suivante:

- Eviter l'aspect négatif de la séparation complète d'avec les parents.
- Apporter un support supplémentaire au traitement psychiatrique.
- Offrir à l'enfant l'avantage de suivre un programme académique individualisé et défini selon sa pathologie.
- Permettre aux patients de vivre des expériences heureuses et correctrices.
- Fournir à l'enfant une alimentation qui favorise une plus grande estime de soi et une meilleure évolution sur le plan relationnel.

L'intervention mise sur les zones saines du Moi pour renforcer l'identité et la socialisation, et permettre à l'enfant de vivre des expériences correctrices. L'éducateur l'accompagne et l'aide à réévaluer les situations vécues et à leur donner sens (Richer et David, 1975). Le but de l'intervention sur-le-champ est d'assurer un support immédiat à l'enfant, tout en lui permettant d'explorer diverses situations.

Dans le but de rejoindre chaque patient, l'équipe élabore un système d'observation individualisé à partir duquel est construit un horaire d'activités. Ce système d'évaluation est conçu à partir de schémas psycho-éducatifs (Guindon, 1970). Les étapes et stades d'évolution de chaque enfant y sont codifiés après analyse des observation recueillies par chacun des intervenants. Sur cette grille apparaissent également l'évaluation des forces du moi et de chacun des secteurs d'apprentissage. Ceci permet d'évaluer régulièrement les acquis et les notions à travailler au cours de la semaine à venir.

Cet outil de travail s'est avéré indispensable tant pour documenter l'évaluation psychodynamique de chaque patient, que pour assurer l'efficacité des réunions de «programming» et des supervisions individuelles du personnel soignant.

A partir des difficultés observées chez les patients, l'équipe élabore ensuite une approche globale comprenant toute une gamme d'activités. En voici les principales:

- Jeux d'eau et activités de piscine, où le jeune pourra se laisser aller à la détente tout en apprivoisant des sensations de bien-être et d'unité au niveau du corps.
- Ateliers d'art plastique et d'expression libre, pour libérer un matériel inconscient et favoriser l'émergence d'images nouvelles et structurantes pour l'enfant.
- Jeux symboliques, visant à l'enrichissement de l'imaginaire et l'élaboration des représentations mentales. Pour certains enfants, ces jeux constitueront une étape préparatoire vers une psychothérapie.
- Classes adaptées, pour stimuler les forces cognitives, la socialisation et favoriser une meilleure intégration de la réalité.

Pour stimuler l'investissement du matériel et des connaissances académiques, il importe de créer un climat d'éclosion. L'éducateur doit permettre à l'enfant, à travers des activités diverses (jeux, motricité, film, histoires, arts plastiques, musique, etc.) de trouver assez de confort et d'alimentation «moïque» pour apaiser ses besoins de répétition et l'amener à développer le désir d'apprendre. Le temps est un facteur essentiel: savoir attendre l'enfant peut représenter un défi de taille. Plus le thérapeute sait utiliser ses connaissances sur le développement de ces enfants, moins il fait de pressions et moins il risque d'être intrusif. A partir des activités qu'il propose, il doit pouvoir saisir et exploiter la moindre ouverture, le moindre centre d'intérêt manifesté par l'enfant, pour en faire des matériaux thérapeutiques (voir à ce propos le texte dans ce même dossier de F. Le Colletter).

Les principes conducteurs en milieu-thérapie pourraient selon nous se résumer ainsi: travailler à établir une relation de confiance et un lieu d'écoute où l'enfant se sent accueilli, tout en offrant des activités où la constance de l'environnement et la permanence du personnel permettent une diminution de l'angoisse. Il s'agit d'accueillir, de sécuriser et d'aider l'enfant à se situer, i.e. donner un sens aux expériences et au travail qu'il accomplit.

Toute situation d'apprentissage est d'abord au service du traitement de l'enfant, et non l'inverse. La qualité des productions académiques deviendra surtout importante lors de la dernière étape du traitement au moment où on prépare l'intégration dans un milieu scolaire.

La relation enfant-éducateur a une valeur psychothérapeutique certaine, à condition qu'on ne perde pas de vue que les enfants sont des patients avant que d'être des élèves. Le fait d'articuler les activités et de savoir doser les éléments de la relation contribuent à une meilleure organisation du monde intérieur et à l'édification de l'identité. Chez l'intervenant se posera souvent la difficulté d'admettre que ce type d'enfants impose autant de rituels et de répétitions. Le psychotique exige qu'on le suive et non qu'on le devance. Certains intervenants seront parfois déçus et insatisfaits des résultats limités et inconsistants. De fait, une «bonne» activité n'est pas nécessairement proportionnelle à la production qu'elle génère mais plutôt à l'alimentation intérieure que le patient en retire (David, 1981).

Enfin, le groupe, aussi peu investi soit-il par l'enfant, lui procure un sentiment d'appartenance qui lui offre des perspectives et des buts à atteindre, en lui donnant une fonction, une place, une responsabilité, une valeur reconnue et c'est en ceci qu'il devient éducatif.

Du vécu et des besoins des soignants

Ces soins aux exigences multiples que nous avons à peine esquissés entraînent fréquemment de grandes tensions et beaucoup de stress dans l'équipe au cours du traitement de chaque enfant. Qu'il s'agisse du vécu partagé avec les enfants ou des échanges entre intervenants, on saisit aisément que le travail en milieu-thérapie nécessite des aménagements continuels de la part des soignants. Nous partageons ici le point de vue de Bettelheim (1970) lorsqu'il écrit: *«De même que les enfants doivent s'adapter à ce monde que représente pour eux l'école, de même les membres du personnel ont eux aussi à s'intégrer dans ce cosmos avant de pouvoir faire la moindre tentative pour coopérer à l'intégration des enfants. Ce processus demande du temps et des efforts considérables. Ils doivent apprendre à devenir partie d'une unité de soins, orientés vers un même but, et ce qui peut paraître encore plus difficile, sauvegarder en même temps leur originalité personnelle. En un mot, ils doivent devenir eux-mêmes toujours davantage, jamais moins».*

Mais comment demeurer soi-même, et même le devenir davantage, quand le travail d'équipe nous impose de subordonner nos propres jalons à une trajectoire curative commune? Chaque enfant a d'abord été observé, examiné, analysé, pour pouvoir établir un plan de soins avec des objectifs gradués et précis. Mais voilà que, dans notre jargon clinique, des notions comme *«attitude bienveillante»*, *«environnement maternant»* ou *«régression permise»*, peuvent être interprétées très différemment selon les résonances qu'elles prennent pour chacun.

Selon ce qui compose notre propre psyché en tant qu'intervenant, nous en colorons nos interventions de manière personnelle. Pour l'un, l'attitude bienveillante pourra vouloir dire *«grande empathie»*, pour un autre, elle signifiera un certain *«laisser-faire»* ou même le *«maternage à outrance».*

Pourtant, tous ces cliniciens ont en main la même ordonnance face à un seul plan de soins.

C'est au psychiatre responsable et au coordonnateur clinique que revient la tâche délicate d'orchestrer l'exécution du plan de soin, de sauvegarder l'originalité de chacun et de permettre à tout soignant de demeurer authentique et intègre face à toutes ces différences. Ainsi, une intervention donnée peut différer au plan du *«comment»* et de la *«forme»*, mais si elle demeure conforme aux objectifs visés, elle est par le fait même thérapeutique et parfois même plus enrichissante pour le bénéficiaire. Mais cette souplesse suppose qu'on entretienne un climat de confiance au sein de l'équipe afin d'éviter autant que possible les *«non dits»* et les rivalités.

De là, le travail constant que doit poursuivre le thérapeute qui veut survivre à une telle clientèle. Devenir de plus en plus vrai et de plus en plus conscient de tout ce qui l'habite. De là aussi le besoin d'une vigilance rigoureuse de la part des responsables et des membres de l'équipe qui travaillent en périphérie, donc qui ont plus de recul et peuvent faire preuve de plus d'objectivité dans les situations confuses ou conflictuelles. Il s'agit avant tout de favoriser un climat de travail où tous et chacun pourront vivre en pleine transparence dans un milieu où les visions cliniques peuvent différer, et parfois même s'opposer.

«Le psychotique exige que le Vrai ne soit jamais vraisemblable, il détruit immédiatement tout ce qui paraît chez le thérapeute prendre effet de semblant; un geste amical, une parole rassurante, l'expression d'un visage aimable, en un mot toute bonne volonté ou bonne intention se manifestant à son égard.» (Searles, 1988).

Pour ceux qui travaillent quotidiennement avec les psychotiques, ces exigences destructrices finissent par induire malaises, doutes et désarroi. Comment aménager ces souffrances au sein d'une équipe en milieu-thérapie? Les dirigeants doivent se pencher sur l'aspect souffrant des soignants, car chaque tension ou conflit mal aménagé a des répercussions directes sur la cure des patients. Il leur revient de protéger ces derniers des conflits latents ou agis du personnel soignant.

La structure que nous avons mise en place prévoit donc divers types de rencontres hebdomadaires qui visent à répondre à ces besoins:

Rencontre entre psychiatre et coordonnateur clinique.

Objectifs

- Il s'agit essentiellement de faire le lien entre le psychiatre et le milieu thérapeutique, de lui transmettre ce qui se vit tant avec les patients qu'avec les soignants

- Envisager des façons de désamorcer les situations souffrantes ou conflictuelles chez certaines personnes impliquées directement auprès des patients
- Planifier les séances de ressourcement scientifique (thèmes et contenus en lien avec les préoccupations du moment)
- S'occuper des supervisions et de leur contenu.

Réunion de «programming»: regroupe tout le personnel de la Thérapie de Milieu.

Objectifs

- Partager des vécus cliniques difficiles
- Se libérer de tensions vécues dans le groupe
- Remettre en question stratégies ou attitudes
- Approfondir certains concepts théoriques
- Organiser les événements spéciaux de la semaine, tels qu'anniversaires, sorties de plein air ou fêtes (Halloween, Noël, Pâques, etc.).

Réunion du «Pot-Pourri»: réunit l'équipe du milieu thérapeutique et l'équipe multidisciplinaire qui oeuvre en périphérie.

Objectifs

- S'informer sur les progrès des patients, sur l'évolution des systèmes familiaux (événements survenus qui modifient la composition, l'équilibre de telle famille, etc.)
- Nommer tout ce qui doit être nommé (par ex., divergences, doutes ou inquiétudes par rapport à des objectifs particuliers ou au traitement global d'un patient)
- Discuter au besoin des budgets, des sorties, des locaux ou de tout autre point aussi terre à terre, mais qui a néanmoins un impact sur le cadre soignant.

Synthèse de cas: regroupe tous les professionnels impliqués auprès d'un cas.

Objectifs

- Faire le point sur l'évolution du patient afin que le traitement se poursuive en harmonie et en tenant compte des observations apportées par chacun: suivi psychiatrique, examen psychologique, traitements d'ergothérapie, de psychomotricité et d'orthophonie, travail avec les familles et avec le réseau de soutien (garderie, famille d'accueil, etc.)

- Préparer (au besoin) l'orientation de l'enfant vers une ressource plus adéquate pour répondre à ses besoins selon le stade d'évolution où il se trouve.

Les supervisions font également partie des moyens mis en place pour aider les soignants à faire le point sur leurs expériences avec une personne plus distanciée. C'est aussi le lieu privilégié pour approfondir certains aspects théoriques de la rééducation et éclaircir la compréhension psychodynamique d'un patient. Pour le supervisé, c'est aussi l'occasion de partager et de clarifier son vécu émotif auprès des enfants. Il ne s'agit pas ici d'interpréter ce qui est inconscient chez le supervisé, mais bien de clarifier certains concepts et positions cliniques, de préciser certaines ordonnances éducatives et d'apporter un support moral au supervisé.

Il n'est pas inutile de rappeler l'importance de partager en équipe le plaisir d'une fête, pour souligner l'arrivée ou le départ d'un membre du personnel, et profiter de certains anniversaires. Ce sont des occasions pour les soignants de mettre en commun autre chose que les exigences et le stress reliés au travail clinique. La capacité de prendre du plaisir ensemble fait aussi partie d'une philosophie de soins qui se veut saine et créatrice. Se ré-créer n'est-il pas après tout le meilleur moyen tant pour l'enfant que pour le soignant de demeurer ou de devenir de plus en plus créateur?

Pièges et paradoxes du milieu thérapeutique

Même si tout semble avoir été pensé et organisé de manière à ce que le milieu soit un lieu d'analyse et de soins, les écueils sont inévitables. Dans le volet qui suit, nous avons réfléchi sur les pièges et paradoxes que peut générer un tel système.

• *La «bonne» distance*

Le personnel du milieu, du fait d'être constamment et directement impliqué auprès des patients, manque parfois de recul. Leur évaluation d'un progrès ou d'une stagnation dans le traitement peut manquer d'objectivité. Leur tolérance et leur indulgence face à certains comportements peuvent devenir nuisibles au développement du patient qui serait peut-être capable de laisser certaines habitudes ou bizarreries plus rapidement que ce qu'on lui impose. Certains professionnels finiront même par avoir du mal à savoir ce qu'est un enfant normal du même âge. Paradoxalement, même s'ils savent très bien que l'admission d'un enfant dans une telle structure signifie qu'il est très malade et qu'il a besoin de services spéciaux, après quelques mois, certains intervenants tomberont dans les mêmes exigences que certains parents, faisant autant de «déni» face aux handicaps de l'enfant. On se questionnera sur le peu d'acquis académiques, sur la pauvreté des productions motrices ou autres, bref, on comparera le patient à des enfants normaux, affaiblissant ainsi l'estime de soi, tant chez le patient que chez le soignant.

• *La fascination ou l'intolérance face à la folie*

Dans son livre «L'effort pour rendre l'autre fou», Searles (1988) revient souvent sur le danger d'être fasciné par la «folie» du patient, et le danger narcissique inconscient pour le traitant d'alimenter un trop fort lien de dépendance avec ses patients. Il dira: *«Cette compulsion a probablement pour cause, entre autre, la projection sur les patients de ses propres besoins de dépendance. Dans ce cas, ne pas satisfaire les besoins du patient (en fait, les besoins projetés du thérapeute) comporte un risque, celui de reconnaître ses propres besoins refoulés.»*

A l'inverse, on s'étonnera parfois que certaines personnes aient peu de tolérance face aux crises et aux désordres affectifs que peut faire vivre une telle clientèle. Ces professionnels ont pourtant toutes les connaissances théoriques nécessaires pour comprendre que ces *«agirs»* sont inévitables, et même qu'ils font partie du processus de guérison dans la cure des enfants psychotiques. Les patients ont besoin d'exorciser leur angoisse en hurlant, en s'attaquant aux adultes avec qui ils sont en confiance, assurés qu'ils ne seront pas détruits, ni rejetés à cause de la manière qu'ils ont choisie pour exprimer leur drame intérieur.

• *L'utilisation de la régression comme moyen clinique*

L'utilisation de la régression suscite également beaucoup de controverses. Selon la manière dont nous assumons et aménageons nos propres besoins régressifs, en tant qu'adultes, nous nous sentirons en sécurité ou non en recourant à la régression comme moyen thérapeutique mis au service du Moi de l'enfant. Certes, il y a danger de prendre le chemin du trop facile et d'empêcher l'enfant de se renforcer, si nous l'utilisons avec démesure.

• *Vouloir guérir à tout prix*

L'implication dans une relation thérapeutique aussi intense n'est pas sans conséquences. D'une part, elle peut amener le soignant à exiger trop de l'enfant qu'il veut voir réussir et accomplir certaines performances académiques ou autres, aliénant parfois le désir propre du patient. En contrepartie, le défaitisme de certains thérapeutes, leur manque d'espoir face à un changement possible, si minime soit-il, sera également nuisible à la bonne marche du traitement.

Face à tous ces pièges et à leur complexité, on comprend l'importance pour l'équipe de rester attentive à ce qu'une clientèle aussi atteinte induit dans l'unité de soins. L'induction du morcellement, de la confusion, des projections, tout ce qu'une angoisse aussi massive peut véhiculer, oblige une équipe à s'arrêter plusieurs fois par année pour faire le point entre soignants et dirigeants, ceci dans le but d'établir un dialogue plus cohérent. Que ce soit le soignant de l'intérieur ou celui qui oeuvre en périphérie de la thérapie de milieu, chacun selon sa formation et son implication contribue à donner un sens réel au traitement global du patient, et ainsi l'un et l'autre de ces apports s'avèrent complémentaires et essentiels.

Conclusion

Quand on le regarde de l'extérieur, le dispositif de soins que nous venons de décrire peut apparaître lourd et rigide. Il est vrai qu'on ne peut faire n'importe quoi, n'importe quand, n'importe comment. Quelle que soit la valeur intrinsèque d'une activité, d'une modalité thérapeutique, elle doit se subordonner à l'ensemble et s'articuler avec les autres interventions. Il en résulte une certaine complexité de fonctionnement. Mais il est capital de rappeler en terminant que ce cadre répond à la nécessité de fournir à notre clientèle un «contenant» qui puisse aider ces enfants à établir peu à peu un certain contrôle sur le désordre intérieur que leur pathologie entraîne.

C'est sans doute là la fonction primordiale d'un centre de jour que d'être le creuset, l'enveloppe unifiante sans laquelle le reste des soins proposés risquerait de se dissiper dans le morcellement et l'éclatement. ❖

The author recalls the philosophy of treatment which presided to the installation of milieu therapy some thirty years ago at Ste. Justine Hospital. She describes the main objectives pursued by the multidisciplinary team in the Day care center for school aged children suffering from severe mental disorders. After considering the programme of activities and the role of educators in their daily accompaniment of these children, the author exposes the structures developed (different types of meetings: programming, case discussion, pot-pourri, etc.). She emphasizes the necessity of maintaining the cohesion and creativity of the milieu and she finally discusses certain paradoxical situations that are inevitably linked to this therapeutic setting.

Références

Bettelheim B. **Le traitement des troubles affectifs chez l'enfant. L'amour ne suffit pas.** Paris, Fleurus, 1970.

David L. **L'autisme. Le droit, dans la différence, à la différence.** Conférence présentée au Congrès Société québécoise des parents d'enfants autistiques, Montréal, 1981, Document déposé à la Bibliothèque Médicale, Hôpital Ste-Justine.

David L. **Utilisation de la pédagogie chez les enfants de la Clinique de Jour.** 1967, Document déposé à la Bibliothèque médicale, Hôpital Ste-Justine.

Dreuvermann E. La peur et la faute. **Psychanalyse et morale.** Tome I.
Paris, Ed. du Cerf, 1992.

Dreuvermann E. **La parole qui guérit.** Paris, Ed. du Cerf, 1991.

Erickson E. H. **Enfance et société.** Neuchâtel, Delachaux et Niestlé, 1959.

Guindon J. **Les étapes de rééducation des jeunes délinquants et les autres.** Paris, Fleurus, Coll. Pédagogie psychosociale, 1970.

Richer S. et David L. V. La thérapeutique en milieu de soins intensifs pour enfants perturbés: prescription des abords individuels. **Psychiatr. Enfant**, 1975, XVIII, 2, 549-640.

Searles H. **L'effort pour rendre l'autre fou.** Paris, Gallimard, 1988.

P.R.I.S.M.E. automne 1994, vol. 4, no 4

AMÉNAGEMENT DE LA SÉPARATION
au sein d'un groupe thérapeutique mères-enfants

Entre la chambre des parents et la chambre des enfants, il n'est pas mauvais qu'il y ait un couloir. Et chacun sait que les enfants adorent jouer dans les couloirs.

J.B. PONTALIS, *Perdre de vue*

Ginette LAVOIE
Renée HOULD

Le Dr Lavoie est médecin psychiatre au Centre de jour de pédopsychiatrie et responsable de l'externat en pédopsychiatrie au Pavillon Albert-Prévost, Hôpital du Sacré-Coeur de Montréal. Elle est professeure chargée d'enseignement clinique au Département de psychiatrie de l'Université de Montréal.

L'intervention en hôpital de jour met les cliniciens au défi de proposer des modèles de traitement adaptés aux multiples facettes de la clientèle qui leur est adressée. Le très jeune âge des enfants, la sévérité des troubles du développement diagnostiqués chez ceux-ci, la complexité des composantes affectives intriquées à la dynamique familiale, la souffrance parentale et l'intensité des liens de nature fusionnelle, sollicitent des interventions «sur mesure» qui peuvent s'avérer parfois innovatrices.

Le projet décrit et discuté dans ces pages témoigne du désir des soignants d'offrir à des mères et à leurs jeunes enfants un lieu privilégié où chacun se retrouve et expérimente la possibilité d'exister comme sujet désirant et désiré. C'est ainsi que des rencontres au sein d'un groupe thérapeutique de la relation mère-enfant furent proposées à trois jeunes mères et à leurs enfants atteints de troubles sévères du développement qui furent adressés à notre service en hôpital de jour. Avant de décrire ce groupe, son cadre et les objectifs que nous nous étions fixés, nous situerons brièvement les théories qui ont servi d'horizon à cette expérience.

Les auteures rapportent l'expérience d'un groupe thérapeutique de la relation mère-enfant qui s'est élaborée dans le contexte du travail en hôpital de jour auprès de très jeunes enfants souffrant de troubles sévères du développement.

Après avoir rappelé le cadre théorique qui a servi d'assise à leur intervention (théories des relations précoces mère-enfant et théories des groupes), les auteures décrivent la technique utilisée et les objectifs du traitement qui visait à diminuer l'ambivalence inhérente à la symbiose et à permetttre une meilleure différenciation chez ces enfants et une reprise de leur développement. L'évolution remarquée tant du côté des enfants que des mères est ensuite discutée au cours des différentes phases du groupe.

Renée Hould, M.Ed., est orthopédagogue au Centre de jour de pédopsychiatrie du Pavillon Albert-Prévost, Hôpital du Sacré-Coeur de Montréal. Elle a une maîtrise en Sciences de l'Education de l'Université McGill et une formation en psychothérapie d'orientation analytique.

Les théories des relations précoces mère-enfant

Freud (1905) a suggéré l'existence d'un état de narcissisme primaire qui caractérise les débuts de la vie de l'enfant, avant d'évoluer vers l'investissement objectal de la mère. Il propose ses observations du jeu de l'enfant avec la bobine (1920), montrant ainsi comment celui-ci s'efforce de maîtriser l'anxiété reliée à la séparation d'avec sa mère. Depuis, nombre de chercheurs psychanalystes ont tenté de conceptualiser l'organisation et le développement de la psyché humaine, en tâchant de comprendre comment les bébés réagissent aux expériences et aux figures significatives de leur environnement et définissent graduellement leur identité corporelle, sexuelle et psychique.

Margaret Mahler (1975), dans son étude sur l'interaction de l'enfant avec sa mère, a décrit les différentes phases qui mènent au développement de l'autonomie du bébé. Selon Mahler, l'évolution vers l'autonomie intrapsychique implique l'étape cruciale de la séparation-individuation qui a lieu vers la fin de la première année de vie. Si l'individuation relève du développement des processus cognitifs, la séparation est le processus mental par lequel l'enfant expérimente la différenciation par rapport à autrui, la mise à distance, l'établissement de limites et un certain désengagement face à la mère.

Donald Winnicott (1969) a souligné pour sa part que l'enfant ne peut être considéré en dehors de la dyade mère-enfant. Il a aussi insisté sur le fait que le nourrisson doit développer sa capacité à être seul en présence de sa mère (ou son substitut) alors que celle-ci offre de façon naturelle un support au moi immature de son bébé. D'autres auteurs tels que Stern (1985), Brazelton (1985), Cramer (1989), ont plus récemment contribué à cette étude en proposant des notions dont celle de l'«accordage affectif» entre la mère et l'enfant.

Notre approche de la dyade mère-enfant s'est aussi appuyée sur diverses expériences récentes qui ont une parenté avec notre projet. S. Holman (1985) a décrit un programme de groupes rassemblant des mères atteintes de troubles de personnalité limite et leurs jeunes enfants. L'objectif de ces groupes était de renforcer les fonctions du moi chez les mères et d'améliorer leurs capacités de maternage de manière à favoriser une démarche de séparation-individuation plus «normale» chez leurs enfants. Holman conclut que ces groupes favorisent le développement d'une plus grande capacité chez les mères à supporter le processus de séparation, de par leur identification au rôle maternel du groupe, de même qu'ils aident les enfants à élargir leurs intérêts et leurs aptitudes en dehors de la dyade mère-enfant. Pour leur part, Nicol et al. (1984) ont montré comment les difficultés des enfants amènent les mères à se sentir diminuées dans leurs capacités de maternage.

J. Tricaud, lors du Congrès de l'Association psychanalytique de l'enfant (Paris, 1992) a présenté une expérience de groupe parents-enfants mise sur pied en clinique de secteur. Son objectif était de comprendre les clivages et le jeu des identifications et des projections circulant entre parents et enfants, et d'amener les parents à «s'intéresser à leur propre partie enfant sans être dans une situation d'analyse».

Farnham (1988) et Kartha (1976) ont utilisé l'approche de groupes mères-enfants pour travailler le processus de deuil face à des enfants intellectuellement handicapés d'une part et dans le cas d'enfants atteints de leucémie, d'autre part. S'appuyant sur son expérience, Kartha estime que les réactions émotionnelles des mères suivent les étapes du deuil définies par Kubler-Ross (1969), i.e. le déni, la colère, la recherche de compromis, la dépression et finalement l'acceptation. Selon ces auteurs, ces groupes ont permis aux mères de mieux identifier leurs émotions douloureuses et de développer un désir et une capacité à les partager; leur ouverture à un support professionnel individualisé a aussi été l'un des résultats observés. Le rapprochement de cette expérience avec notre groupe nous apparaît pertinent en ce qu'il montre les similarités entre le processus de deuil chez le parent qui a un enfant mentalement «sain», et le deuil secondaire à la blessure narcissique chez le parent, quand l'enfant présente des troubles sévères et précoces du développement.

Enfin, M. Bydlowski (1978) rappelle avec justesse ce douloureux processus que représente pour toute mère le deuil de l'enfant imaginaire, *«celui que toute femme, même la plus sincère dans la dénégation de maternité, vient un jour à désirer...»*, *«l'enfant supposé tout accomplir, tout espérer, tout combler»* (p. 61).

Les théories des groupes

Plusieurs auteurs ont abordé cette question en établissant un parallèle entre le groupe et les relations précoces. Comme le souligne Bion (1961), *«le groupe est un microcosme des expériences infantiles»*. Il permet la formation d'une totalité psychologique et agit selon des états affectifs que l'auteur appelle les *«présupposés de base»*. Les membres réunis autour d'une tâche commune sont animés par les états d'âme de chacun et sont influencés par les interactions qui se déploient entre eux. Cet ensemble devient ainsi une sorte de matrice constituée d'une limite extérieure et d'un contenu.

La relation maternelle vécue autrefois par chacun des membres du groupe se situe au centre de l'échange. Selon Durkin (1989), la théorie bionienne de la dyade rappelle le système d'interactions retrouvé entre un contenant et un contenu; mère et enfant deviennent tour à tour le contenant de l'identification projective émise par l'autre. Dans le meilleur des cas, la mère contient les émotions excessives ou incontrôlables de l'enfant et les lui retourne en une version apaisante et plus nourrissante qu'il capte à son tour.

Cette analogie trouvée par Bion (1961) en parlant du fonctionnement des groupes a été reprise par plusieurs cliniciens. Le *«groupe-objet mère»* (group-as-mother) de Prodgers (1990) ou le *«groupe-entité»* (mothergroup-as-a-whole) de Scheidlinger (1974) et Durkin (1989) réfèrent tous deux à l'image maternelle pré-oedipienne. Les angoisses primitives reliées aux reliquats de la relation à la mère, en resurgissant chez les membres, viennent colorer l'activité groupale. Des sentiments ambivalents peuvent ainsi émerger, alternant avec des impressions de chaleur et de réconfort ressenties dans le groupe.

Il est certain que les membres s'engagent dans le groupe avec des espoirs et des attentes quant au rôle et à la place qu'ils y tiendront. Le groupe offre essentiellement un espace où existe la possibilité d'échanges relationnels, ce cadre servant de contenant aux projections des membres. Une fois la communication engagée, une phase de retour des identifications projectives survient au cours de laquelle les membres réintrojectent les affects pénibles qui se trouvent modifiés en des formes plus rassurantes. Ainsi, en passant de l'état de coquille vide à celui d'abri protecteur, le groupe représente un lieu significatif où les expériences pénibles (angoisses, peurs, etc.) peuvent être communiquées et partagées à l'intérieur d'un mouvement où alternent les fantaisies et les perceptions issues de la réalité.

L'ensemble des membres du groupe, dans la mesure où celui-ci marque les limites d'un espace protégé, incarne donc la «figure maternelle». Les échanges favorisent qu'un «enfant», membre du groupe, soit contenu par la «mère» ou, à l'inverse, qu'il serve de contenant à celle-ci. La relation contenant-contenu entre le groupe et ses membres trouve ici une configuration complémentaire qui est du même type que la dyade mère-enfant. La fonction de «holding» (Winnicott, 1969) auquelle s'ajoute le «handling» et l'«illusion groupale» (Anzieu 1975) constituent le coeur et les éléments précurseurs de sa conception.

Tout au cours du processus de développement de même qu'à travers les jeux mutuels élaborés dans le groupe, chaque système tient lieu à la fois de contenant et de contenu. Tel un objet transitionnel (Winnicott, 1969) le groupe sera alternativement aimé, cajolé mais aussi abîmé. Si tout se déroule bien, il pourra s'installer dans le groupe un espace ludique, les échanges se situant alors dans un registre entre la fantaisie et la réalité. De lieu d'échange qu'il était, le groupe se métamorphose alors en cadre thérapeutique où le matériel projeté est retourné de façon supportive pour promouvoir le développement de ses membres.

Comme on le voit, ces notions apportent un nouvel éclairage sur le fonctionnement d'un ensemble composé de plusieurs dyades mère-enfant. L'analogie offerte par Bion permet de combiner les modes d'interaction du groupe; les échanges de contenu à contenant se situent à deux niveaux, soit celui du groupe et de ses membres entre eux, et celui des différentes dyades entre elles. L'action à ces deux paliers d'intervention devrait porter fruit, si l'on s'appuie sur ce modèle de «bonification bionienne».

Présentation des cas

Notre groupe est composé de trois enfants et de leurs mères qui furent sélectionnés en fonction de certaines caractéristiques communes, telles que le bas âge et la précocité d'apparition de traits d'allure autistique dont le retrait, des mouvements stéréotypés et l'absence de toute modalité de communication.

François A. nous a d'abord été référé par une clinique externe, alors qu'il avait 22 mois. La principale inquiétude de la mère portait sur l'absence chez l'enfant de regard dirigé vers autrui. François détournait les yeux dès qu'il apercevait un visage ou s'il était interpellé; il n'élevait jamais le regard au-delà de quelques centimètres du sol et n'émettait aucun mot ni même de gazouillement. Son intérêt pour parler semblait complètement absent et l'exploration se limitait à des mouvements de reptation effectués avec une lenteur considérable. Enfin, l'enfant prenait contact avec les objets en les portant à sa bouche, si bien que la mère vivait dans la crainte constante qu'il s'étouffe ou qu'il se retrouve en détresse respiratoire. François avait présenté en bas âge un épisode dyspnéique d'étiologie indéterminée; on l'avait retrouvé avec des signes évidents de cyanose, sans qu'il n'ait manifesté de signe précurseur. Les investigations médicales n'avaient cependant pu mettre en évidence d'anomalie. La tâche de l'alimenter s'avérait aussi ardue, car François risquait toujours de s'étouffer avec la nourriture. Le souvenir chez cette mère d'un accouchement laborieux associé à la crainte de mourir et de perdre son enfant complète le tableau. En ce qui concerne le père, François n'avait eu aucun contact avec lui depuis plusieurs mois.

Peu de temps après, Julie B. nous fut référée. A 27 mois, elle ne parlait pas et présentait, elle aussi, un retrait important accompagné de mouvements stéréotypés. A son arrivée, elle se déplaçait à quatre pattes mais se tint debout pour la première fois au moment de l'entrevue. Cette enfant ne s'intéressait pas aux jeux même si, contrairement aux autres, elle possédait un objet favori fait de pièces d'une couverture apparemment interchangeables. L'histoire médicale révèle une atrésie de l'oesophage opérée quelques jours après sa naissance qui nécessita une hospitalisation d'une durée d'un mois. Par la suite, elle souffrit de très nombreux épisodes d'infections pulmonaires et d'asthme. Dès l'entrevue d'évaluation, les parents exprimèrent leur lassitude et leur désarroi devant toutes ces difficultés. Malgré leur recherche constante des signes d'un contact affectif avec l'enfant, ils se retrouvaient plutôt devant l'énigme du retrait ou encore face à des réactions de vive angoisse qui survenaient chez Julie lors de changements bénins de l'environnement ou même sans qu'ils puissent en identifier le facteur précipitant.

Le dernier venu, Olivier C., 18 mois, nous fut adressé par un centre extérieur où il avait été suivi depuis l'âge de 8 mois dans le cadre d'un traitement mère-enfant. On notait chez lui le même retrait remarqué chez les autres enfants de même que l'absence de langage et la présence de mouvements stéréotypés. Au plan moteur, il marchait mais n'explorait qu'avec fugacité; il ne s'intéressait pas aux jeux ni aux objets rencontrés sur son passage. La mère nous rapporta une histoire de grossesse non planifiée et le désir d'avortement. L'enfant était aussi fortement identifié à son père. Par ailleurs, l'évitement du regard et la réclusion psychique de l'enfant étaient vécus par la mère comme une volonté de la part d'Olivier d'éviter le monde extérieur, y compris le contact avec elle. Les difficultés qu'éprouvait la fratrie, un frère et une soeur aînés, étaient aussi rapportées. Le père ne fut jamais rencontré selon la volonté de la mère qui refusa que nous entrions en contact avec lui.

Ainsi se résument les données révélées par les mères. Les symptômes nous aident à préciser le diagnostic et à constater l'ampleur de la problématique; quant aux éléments dynamiques, ils démontrent l'état de souffrance engendré par les problèmes de l'enfant et on saisit à quel point, pour chacune de ces mères, l'enfant rêvé est tout autre que celui qui existe réellement.

Cadre de l'intervention

Les enfants furent d'abord intégrés dans un programme de rencontres mère-enfant. Il était prévu qu'ils se retrouveraient éventuellement ensemble dans les mêmes groupes thérapeutiques lorsqu'ils seraient considérés aptes à être intégrés dans le programme régulier de l'hôpital de jour et à se retrouver parmi d'autres enfants sans être accompagnés de leur mère. Une psycho-éducatrice, une orthopédagogue et un psychiatre formaient l'équipe d'intervention; les deux premières se chargeaient davantage du travail auprès des enfants tandis que le psychiatre accompagnait les mères. Une discussion regroupant des membres du Centre qui avaient des contacts avec ces enfants avait aussi lieu sur une base bimensuelle.

Le programme prévoyait un certain nombre de rencontres où enfants, mères et intervenantes se retrouvent d'abord ensemble. Puis, le groupe se divisait progressivement: les enfants et deux intervenantes se regroupaient dans la salle de thérapie alors que les mères, accompagnées du psychiatre, se dirigeaient dans une autre pièce où un miroir unidirectionnel et un système de caméras leur permettaient d'observer les activités des enfants (figure I).

Ce projet fut donc présenté aux mères ou aux deux parents, selon le cas. Les rencontres débutèrent d'abord avec Julie B. et François A., Olivier C. se joignit au groupe environ trois mois plus tard. Une fois le groupe constitué, les rencontres eurent lieu chaque semaine durant vingt-deux mois (figure II).

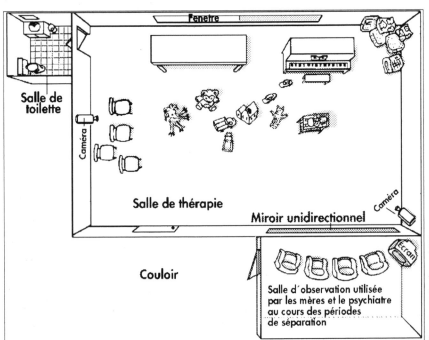

Figure I. *Aménagement de la salle de thérapie pour le groupe thérapeutique mères-enfants.*

Objectifs de l'intervention

L'objectif qui servit de fil conducteur à notre groupe était celui de favoriser la séparation psychique du couple mère-enfant. Il fallait travailler dans le sens d'aménager un espace vital suffisant pour chacun des membres de la dyade, ce qui impliquait de favoriser une prise de distance tout en évitant que la séparation soit vécue par l'enfant ou la mère comme une rupture annihilante.

L'impression qui était la nôtre face à ces très jeunes enfants souffrants et à leurs mères était celle d'un «rendez-vous manqué». Comme si l'accordage entre mère et enfant avait eu lieu dans de si mauvaises conditions que l'accession à l'étape constructive de séparation-individuation (après un temps de symbiose nourricière), telle que décrite par Mahler (1975), s'était avérée impossible.

Notre projet visait donc à créer un lieu de rencontre mère-enfant dans des conditions favorisant un nouveau regard de la mère sur son enfant, regard dégagé des projections ambivalentes maternelles construites en réponse à la grande difficulté de décoder le langage affectif de ces enfants. Ce regard, en plus de revitaliser la relation, permettrait d'apercevoir l'enfant réel avec ses potentialités et ses limites, enfant réel qui jusqu'alors se trouvait plus ou moins confondu avec l'enfant imaginaire. Mère et enfant avaient ici la possibilité de récupérer leur propre pensée et leur statut de sujet désirant.

L'objectif poursuivi par rapport aux enfants était double: 1) tenter de décoder l'expression affective suscitée par les expériences vécues dans le groupe; 2) favoriser l'émergence du désir et l'ouverture sur le monde extérieur en présentant à chaque enfant du matériel adapté à ses capacités motrices et cognitives.

L'idée sous-jacente à cette proposition est qu'en dégageant l'enfant du poids des désirs parentaux de réparation, il devient possible pour lui de manifester ses désirs propres. Cette idée est sans doute discutable puisqu'on sait que tout thérapeute, animé de sa propre vie fantasmatique, ne peut éviter de projeter ses propres désirs. Comme le rappelle Pontalis (1988):

> «... à se maintenir aux aguets de ce qui se passe dans la chambre des enfants, qu'on reste planté à la porte ou qu'on y fasse intrusion, on risque fort de n'entendre que le bruit de son propre discours intérieur...»

Enfin, le groupe thérapeutique mères-enfants poursuivait en corollaire l'objectif d'offrir des éléments de compréhension et un modèle de contact à ces mères aux prises avec des enfants extrêmement déroutants. La formation des intervenantes de même que le rôle qu'elles assumaient auprès de ces enfants pouvaient éventuellement permettre aux mères de vivre une expérience qui les amène à se dégager de leur angoisse et de leur culpabilité.

ÉVOLUTION DU GROUPE

Du côté des enfants

Les deux intervenantes qui accompagnaient les enfants en leur offrant une attention soutenue et chaleureuse observaient aussi les mouvements relationnels d'investissement et de désinvestissement chez les mères et les enfants. Cette distance leur permettait de comprendre, selon un processus identificatoire, les difficultés de ces mères à répondre aux exigences symbiotiques de leurs enfants. Les intervenantes occupaient ainsi une position privilégiée pour redonner un sens aux échanges et aux messages qui circulaient dans le groupe.

Au cours des premiers temps de rencontre, les enfants erraient dans la pièce tout en demeurant très dépendants de leur mère. Lorsque ces dernières se trouvaient prises par les discussions entre elles ou avec le psychiatre qui les accompagnait, les petits semblaient perdus et sans désir.

C'est pourtant à l'occasion d'une telle mise à distance que la colère d'Olivier s'exprima. Ses maniérismes s'atténuaient lorsque sa mère s'en occupait et il amorçait alors un jeu frustre de «chacun son tour» avec elle, mais il retrouvait ses mouvements stéréotypés dès qu'elle détournait son attention de lui. A ces moments, Olivier se réfugiait près de la fenêtre et émettait des plaintes en frappant du pied. L'intervenante lui parlait de sa colère lorsque maman s'occupait ailleurs puis elle reflétait à cette dernière les réactions de son enfant. Lors d'une séance où la mère d'Olivier s'intéressait à François, Olivier trouva une astucieuse stratégie pour récupérer l'attention maternelle: il se dirigea vers une autre mère et l'embrassa.

Malgré les difficultés importantes des enfants et la pauvreté de leurs capacités expressives, les moments de détente et de plaisir entre mères, enfants et intervenantes ont pu permettre des rencontres dans un espace nouveau. Ainsi, la musique se révéla un excellent médium pour rejoindre les enfants: attirés par les airs joués au piano par une intervenante, ils se retrouvaient ensemble assis autour d'elle à taper sur les notes. Les enfants prenaient un réel plaisir à cette activité et ce moment était partagé avec les mères qui étaient elles aussi touchées.

Ces «bons moments» qui permettaient aux intervenantes de prendre une place auprès des enfants alternaient avec d'autres où les craintes des mères témoignaient de leur niveau élevé d'anxiété. Madame A., la mère de François, était constamment à l'affût de l'objet (petit bonhomme, petite automobile, morceau de papier, etc.) qui risquait d'étouffer son fils.

Les enfants évoluaient à leur rythme distinct, chacun se montrant de plus en plus familier et confortable avec le cadre, le personnel et le matériel. Les activités ne leur étaient jamais imposées. François A. explorait avec un intérêt et une mobilité croissante son environnement, et c'est ainsi qu'il passa d'une position accroupie (à 4 pattes) et hypotonique à la station debout en s'agrippant à une table pour s'emparer du matériel qu'il convoitait. Son regard s'éveillait petit à petit et il manifestait du plaisir à taper, se déplacer, et porter des objets à sa bouche. On remarquait que ses mouvements exploratoires augmentaient lorsque l'intérêt de sa mère se portait aux échanges avec les autres mères et le psychiatre.

Olivier C., de son côté, s'agitait de manière souvent provocatrice pour sa mère et les intervenantes; il se mettait en danger de se blesser ou de tomber en grimpant sur les chaises. Ses *«appels»* se manifestaient alors par des plaintes, des pleurs et une intense colère et il se mordait la main ou mordait celle de l'intervenante.

Lorsque l'éloignement des mères se concrétisait par leur passage dans la pièce au miroir, on pouvait observer la dynamique de chaque enfant face à la séparation. Une «chanson thème» préparait le départ des mères. A ce moment, Olivier C. refusait de laisser fermée la porte séparant les deux pièces. Il se promenait dans le couloir et allait retrouver sa mère, puis revenait en claquant la porte, cycle qu'il répéta pendant plusieurs séances. Il pleurait et se frappait la tête. Pour sa part, Julie B. saluait sa mère par un *«bye-bye»* de la main, mais sa détresse se manifestait par de l'errance et une perte d'intérêt pour les jouets jusqu'alors investis. Elle effectuait aussi des aller-retour vers sa mère. Toutefois, c'est à ce moment qu'elle prononça ses premiers mots, dont le très important *«maman»*. François A. poursuivait de son côté son jeu exploratoire et semblait apprécier le calme, l'espace et le changement d'atmosphère. Les intervenantes proposaient aux enfants de les bercer dans une couverture en chantant doucement, une approche *«maternante»* qui semblait leur plaire et elles parlaient des *«mamans parties»* et des émotions entraînées par ce changement.

Du côté des deux intervenantes, les rapports établis avec les petits au fil des séances leur permirent de mieux comprendre contre-transférentiel-lement le sentiment d'incompétence ressenti par ces mères devant le peu de réponses des enfants. Elles identifièrent en elles des sentiments partagés d'enthousiasme et d'ennui, de gratification et de dévalorisation.

En résumé, chaque enfant a développé au cours des séances des compétences personnelles qui ont élargi son emprise sur l'environnement et son ouverture au monde des émotions. Ces rencontres permirent ainsi à ces trois enfants de se retrouver dans un espace physique et psychique qui favorise leur individuation et la reprise de leur développement.

Du côté des mères

Nous voulions *«ouvrir une porte»* et recevoir la souffrance, les peines et aussi les joies de ces mères. Nos rares interprétations se limitèrent à faire des liens entre des expériences communes aux trois mères et leur expression affective. Ces interventions étaient fréquemment reprises au moment où les mères conversaient entre elles sans la présence des enfants, dans *«la chambre des parents»*. Cette stratégie visait à protéger les enfants et leurs mères de certaines élaborations que nous aurions pu susciter en les incitant à s'exprimer davantage. Par exemple, l'une d'elles dira: «*Vous ne savez pas ce que j'ai vécu quand j'étais jeune et je ne vous le dirai pas!*», ce qui suffit pourtant à alimenter la conversation, en faisant écho chez les autres participantes.

Figure II.   *Répartition des temps de réunion* (R) *et de séparation* (S) *des mères et des enfants, selon les phases du groupe thérapeutique.*

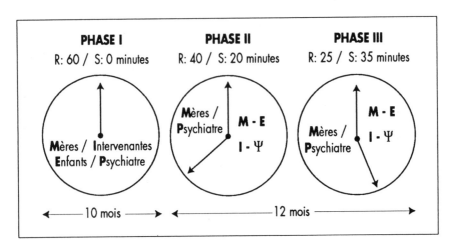

La première phase du groupe (voir figure II) s'étendit sur dix mois. Bien que d'abord prévue de durée moindre, elle fut prolongée car nous sentions qu'une séparation précipitée occasionnerait une souffrance de part et d'autre de la dyade. Les mères apportèrent d'abord leurs questions au sujet de la santé physique des enfants, de l'alimentation et des maladies, et elles se préoccupaient aussi des soins à leur prodiguer. Leur inquiétude était prégnante durant ces échanges. Leur vif intérêt chez elles à soulager nous apparut secondaire au besoin de panser la blessure et à leur peur d'abîmer des enfants fragiles.

L'alimentation demeura toutefois un sujet de vives discussions. La collation, propice aux échanges, soulevait des questions et permit l'expression de craintes chez les mères. Les enfants ne s'alimentaient pas seuls et ne consommaient que des liquides et des aliments semi-solides. Bien que désireuses que leur enfant acquière de l'autonomie, certaines demeuraient sur le qui-vive. Madame A., par exemple, craignait particulièrement que son fils s'étouffe; elle demanda l'appui d'une des intervenantes à qui elle permit de présenter à l'enfant des morceaux de plus en plus gros. Elle ne cachait pas son inquiétude mais parvint à se contrôler puis elle tenta à son tour l'expérience. Madame C., pour sa part, subit les fréquentes morsures de son fils et s'indigna de le voir refuser la nourriture solide.

Progressivement, un discours de plus en plus émotif apparut dans le groupe. Certains propos exprimés ouvertement, tel le sentiment d'ambivalence par rapport à la grossesse, suscitèrent des réactions chez les enfants. Étant donné que ces sujets touchaient en elles une corde sensible, les mères ne remarquèrent pas les réactions affectives de leurs enfants. Cela nous démontra la difficulté de communiquer avec des enfants présentant une pathologie aussi importante, leur retrait pouvant inciter à penser qu'ils ne saisissaient pas la connotation émotive du discours entendu.

D'autre part, malgré l'attention accrue que ces mères portaient à leurs enfants, les comportements de ces derniers continuaient de les dérouter parfois. Madame B. déplorait le fait de ne pouvoir identifier le sens des cris qu'émettait fréquemment sa fille. En effet, cette dernière s'exclamait sans raison apparente. Dans son désarroi, madame B. nous dit: *«Je ne sais pas si elle est joyeuse ou fâchée. Mais je la comprends parce que moi aussi, quand je suis fâchée, je crie pour me défouler»*. En l'absence d'une expression compréhensible, comment décoder le sens d'un message, sinon en projetant un peu de sa propre pensée? Mais que faire de cette colère? *«Je devrais peut-être sortir de la pièce quand Olivier crie,* suggéra sa mère, *peut-être qu'il s'arrêterait»*.

Les jouets disponibles (loup en peluche, monstres, etc.) suscitèrent aussi des réflexions. Le loup rappelait l'histoire du Chaperon Rouge. Madame A. émit son désaccord devant l'expression d'autant d'agressivité: «Pourquoi raconter ces histoires qui font peur aux enfants?» Des monstres à grandes dents, *«des bibites laides»* répugnaient aussi aux mères mais Madame A. dit alors: *«Peut-être que ce sont des enfants comme les nôtres qui pourront nous en montrer la beauté»*.

Au fil du temps, nous avons observé aussi le début d'une amitié naissante entre deux mères; bien que démontrant de l'intérêt, la troisième éprouva de la difficulté à s'introduire dans cette relation. De même le *«groupe-entité»* ne démarra pas immédiatement. Les mères établirent d'abord un contact de type un-un avec le psychiatre. Pourrait-on expliquer cette tendance à reproduire une dyade par le fait que la séparation d'avec leurs enfants était imminente?

Une ébauche de cohésion se développa ensuite peu à peu dans le groupe et le support mutuel permit aux mères une expression plus ouverte de leur vécu. L'aide concrète qu'elles s'apportaient à l'extérieur du Centre se manifesta par des échanges verbaux; ainsi, elles s'aidaient à identifier des affects et s'apportaient du soutien en ce sens. Par exemple, madame A. se plaignit de l'opposition de son fils au traitement d'inhalation servant à contrôler son asthme. Madame B. lui suggéra alors de laisser l'enfant manipuler le masque afin qu'il puisse se familiariser avec cet objet. A un autre moment, madame B. supporta madame C. qui croyait sa présence inutile auprès d'Olivier, lors des déplacements en autobus entre le Centre de jour et la maison; madame B. lui en affirma l'importance, lui disant que même si l'enfant ne semblait pas se soucier de sa présence, il *«entendait»* sa voix.

Progressivement, les mères laissèrent leurs enfants entre les mains des intervenantes pour des périodes de plus en plus longues. Durant ce temps, elles échangeaient fréquemment entre elles à propos d'événements survenus à l'extérieur du Centre où elles partageaient des activités. Elles rapportaient leurs impressions sur ces rencontres et se fixaient des rendez-vous. Appliquant la règle de non-omission d'Anzieu (1975), le psychiatre ne forçait pas un retour à des sujets plus immédiats. Les mères paraissaient plus détendues et on peut penser que cet espace ludique leur permettait de *«retrouver une identité féminine occultée par de longues heures de relations fusionnelles et non différenciées. Une mère détendue est une mère non culpabilisante»* (Sudaka-Benazeraf, 1987). En soutenant cette sorte d'espace transitionnel, nous espérions donner à ces femmes la possibilité de rêver d'avenir pour elles-mêmes et leurs enfants. Ces moments de visites à l'extérieur étaient aussi pour elles l'occasion de partir à la recherche d'un conjoint, peut-être d'un tiers séparateur.

Une certaine émulation surgit aussi au moment où l'on remarqua que Julie B. évoluait plus rapidement que les deux autres enfants au niveau de son développement: elle avait établi une ébauche de contact visuel et verbal. Bien que s'exprimant de façon chaleureuse, les autres mères comparaient cette progression à celle de leur propre enfant, non sans une pointe d'amertume.

Les mères retournaient régulièrement vers leur enfant, et ceci en fonction de mouvements amorcées par l'un ou l'autre membre de la dyade. Ces déplacements survenaient spontanément et suscitaient quelquefois des échanges avec les intervenants déjà en interaction avec l'enfant. Mères et enfants profitaient de ces moments de retrouvailles même si ceux-ci traduisaient quelquefois que le désir de stimuler la maturation de l'enfant s'accompagnait d'ambivalence. Ainsi, madame A. se précipita à genoux devant son fils au moment où celui-ci se mit à faire quelques pas avec l'assistance d'une intervenante. En discutant plus tard de cette question, cette mère avoua son inquiétude à l'idée de favoriser l'autonomie d'un fils aussi affecté physiquement et psychologiquement.

Par ailleurs, les mères se différencièrent fortement dans leur façon de gérer les départs à la fin de l'activité. Madame A. cherchait à conserver l'attention des intervenantes en poursuivant avec elles la conversation. Madame C. quittait précipitamment, affirmant qu'elle ne désirait pas perdre de temps. Enfin, madame B. appréhendait davantage la séparation d'avec Julie, parce qu'elle la reconduisait ensuite à la garderie.

Tout ce qui vient d'être mentionné se déroula durant les deux années de traitement où l'on assista à une lente progression vers l'individua-tion et au début du processus de séparation. D'autres éléments sont davantage spécifiques à la deuxième année, moment où les mères et les enfants se retrouvèrent dans deux pièces séparées par un miroir unidirec-tionnel durant des périodes de plus en plus longues. Au cours des transitions, on remarquait des scènes démontrant bien l'intensité du vécu affectif rattaché à la séparation. Au début, les mères n'entendaient pas le signal et démontraient de l'étonnement malgré le fait qu'elles aient été informées auparavant de la procédure. Par la suite, elles étreignaient longuement leur enfant avant de quitter la pièce. Les échanges devinrent ensuite plus modérés. Concomitamment, elles s'exprimaient de moins en moins durant la première partie de la rencontre et verbalisaient davantage lorsqu'elles se retrouvaient entre elles.

Certains moments ont retenu davantage notre attention. Lors d'une séance, bien qu'elle ait entendu le signal, madame C. saisit son fils dans ses bras alors qu'elle était étendue sur le sol, jambes repliées. Elle le souleva de façon rythmique, puis le déposa et demeura par la suite étendue, comme épuisée. L'image d'un accouchement nous vint spontanément à l'esprit. Quelques secondes plus tard, elle discuta longuement des difficultés éprouvées au moment où «Il» (au lieu de «je») avait accouché. Au même moment, les deux autres mères rapportèrent un rêve. Dans celui de madame A., François marchait, et dans le songe de madame B., Julie parlait. Les départs stimulaient donc des réminiscences et diverses formes de revécus chez les mères. Lors d'une autre rencontre, madame C. effectua des exercices où elle prenait son fils, ce dernier ayant pour consigne de s'agripper à son cou alors qu'elle baissait les bras.

Les portes qui séparaient les deux locaux furent fermées progressivement, selon la tolérance des membres du groupe. A la séance où elles devaient se clore définitivement, nous dûmes cependant en prévoir la réouverture. En effet, madame A. aperçut son fils en train de manipuler un petit objet; sa crainte qu'il s'étouffe la mit en proie à une très vive inquiétude. Son anxiété s'accentua encore quand elle constata que la porte barrait automatiquement. Ce n'est que peu à peu qu'elle put verbaliser davantage autour de cet événement et se sentir de nouveau à l'aise.

Lorsque les mères se retrouvaient entre elles, nous les invitions à observer les enfants au moyen du miroir unidirectionnel. Une télévision permettait de voir tous les déplacements des enfants partout dans la pièce. Elles rapportèrent d'abord un sentiment d'ennui, ayant l'impression qu'il ne se passait rien de l'autre côté. De fait, les enfants interagissaient peu entre eux. Cependant le psychiatre remarqua que ce type de commentaires survenait fréquemment lorsqu'un enfant semblait prendre plaisir au contact avec une intervenante. Ainsi alternaient des moments où les mères évitaient de regarder, entrecoupés de courtes périodes d'observation. Certaines préféraient regarder la télévision, comme si la vision plus directe risquait de créer un émoi plus intense qu'un visionnement à partir de l'écran. Par moments aussi, les enfants les rejoignaient. Un contact physique s'avérait quelquefois nécessaire aux mères pour s'apercevoir de la présence de l'enfant et des exclamations de joie fusaient parfois. Par la suite, les enfants étaient invités à retourner dans l'autre pièce.

Le groupe tint aussi des propos ambivalents au sujet de certains membres du Centre dont quelques-uns furent perçus comme des «bonnes mères» et d'autres, comme de «mauvaises mères». En ce qui concerne leur image d'elle-même, madame B. et madame C. exprimèrent leurs sentiments d'échec et d'impuissance. Madame A. tenta alors de les convaincre qu'elles étaient les élues d'une volonté divine, mais les deux autres récusèrent cette idée, déclarant qu'elles se sentaient bien davantage des victimes. Malgré leurs efforts pour être positives, elles conservaient un sentiment de culpabilité qu'aucun discours ne pouvait apaiser.

Conclusion

Selon Kauff (1977), la séparation-individuation est inhérente à toute fin de thérapie et cette dernière s'effectue comme le vécu infantile de cette étape. Dans le groupe, une seule mère cessa la fréquentation quelques semaines avant la fin officielle des rencontres. Nous avions bien entendu tenté de préparer ce départ quelque temps d'avance.

Le groupe se termina par ailleurs dans les délais prévus. Nous avions atteint en bonne partie nos objectifs en produisant l'ébauche d'un «groupe-entité» qui avait permis un support et des échanges entre les intervenants, le psychiatre, les mères et, souhaitons-le, les enfants. Ceux-ci nous semblaient plus éveillés et les mères démontraient une capacité accrue à faire des liens. Au fur et à mesure du déroulement, elles semblaient davantage à leur aise dans l'accompagnement des enfants et face à leur autonomie naissante. L'identification des mères entre elles, le partage de leur souffrance ont certainement favorisé l'expression et l'échange au niveau émotif, permettant à ces mères d'exprimer leurs angoisses.

Le groupe fut à la fois aimé et attaqué selon qu'il était bienfaisant ou frustrant. Ce contenant, à la fois bon et insuffisant, permit probablement une ouverture au monde transitionnel et aussi de dégager un espace entre l'enfant atteint dans son développement et la mère qui avait veillé sur lui sans relâche. Les mouvements relationnels entre les différentes dyades qui se scindaient et se reformaient successivement, purent ainsi s'assouplir et progresser vers une lente distanciation.

Nous croyons enfin qu'un accrochage précieux pour l'avenir du traitement de ces enfants à l'hôpital de jour a pu s'établir grâce à ces rencontres. Deux de ces mères se sont engagées ensuite en psychothérapie individuelle. Une situation aussi complexe nécessite fréquemment un support bien plus prolongé que l'aide que nous avions offerte. En ce qui nous concerne, nous espérons avoir pu aider à ouvrir une avenue, celle du désir de la découverte pour ces jeunes enfants et pour leurs mères qui assument courageusement leur tâche.❖

The authors report an experiment carried out at the day care center of Albert Prevost Institute, which consisted in a therapeutic group of the mother-child relationship. After describing the theoretical grounds supporting this approach, the authors state the main objectives of their intervention and they further discuss the evolution of the group successively from the children and from their mothers'point of view. They conclude on the acquisition of a better distanciation between mother and child and a general improvement in these children'sense of identity and development.

Références

Anzieu D. **Le groupe et l'inconscient.** Paris: Dunod, 1975.

Bick E. Notes on infant observations. In: **Psychiatric training: collected papers of Mr Harris and E. Bick Perthise.** Clunie Press, 1987.

Bion WR. **Experiences in groups.** New York: Tavistock Publications, 1961.

Brazelton TB. **L'âge des premiers pas.** Paris: Payot, 1985.

Bydlowski M. Les enfants du désir. **Psychanalyse Université** 1987;4(13):59-92.

Cramer B, Palacio Espasa F. Psychothérapie de la relation mère-enfant. **Rev Médecine Psychosom** 1989;19:59-70.

Durkin JE. Mothergroup-as-a-whole: formation and systemic boundarying events. **Group** 1989;3(3/4):98-102.

Farnham R. Grief work with mothers of retarded children in a group setting. **Mental Health Nursing** 1988;9:73-82.

Fraiberg S, Adelson E, Shapiro V. Fantômes dans la chambre d'enfants. **Psychiatrie Enfant** 1983;26(1):57-98.

Freud S. Au-delà du principe du plaisir. In: **Essai de psychanalyse.** Paris: Payot, 1981:41-116.

Grinberg L. et al. **Introduction aux idées psychanalytiques de Bion.** Paris: Bordas, 1976.

Holman LS. A group program for borderline mothers and their toddlers. **Int J Group Psychother** 1985;35(1):79-93.

Kartha M, Inta JE. Short-term group therapy for mothers of leukemic children. **Clinical Pediatrics** 1976;5(9): 803-807.

Kauff PF. The termination process: its relationship to the separation-individuation phase of development. **Int J Group Psychother** 1977;27(1).

Kubler-Ross E. **On death and dying.** New York: MacMillan, 1969.

Mahler M, Pine F, Bergman A. **The psychological birth of the human infant.** New York: Basic Books, 1975.

Nicol AR, Davison I, Stretch DD, Fundudis T. Controlled comparison of three interventions for mother and toddler problems: preliminary communications. **J Royal Soc Med** 1984;77(6):488-491.

Pine F, Furer M. Studies of the separation-individuation phase. **Psychoanal Study Child** 1963;18:325-342.

Pontalis JB. **Perdre de vue.** Paris: Gallimard, 1988.

Prodgers A. The dual nature of the group as mother: the uroboric container. **Group Analysis** 1990;23:17-30.

Scheillinger S. On the concept of the mother-group. **Int J Group Psychother** 1974;24:417-428.

Stern DN. **The interpersonal world of the infant: a view from psychoanalysis and developmental psychology.** New York: Basic Books, 1985.

Sudaka-Benazeraf J. **Libres enfants de la maison verte.** Paris: Ed. Retz, 1987.

Winnicott D. **De la pédiatrie à la psychanalyse.** Paris: Payot, 1969.

P.R.I.S.M.E. automne 1994, vol. 4, no 4

VOIR ET ÊTRE VU

Regard sur l'accompagnement des parents

Flore LECOMPTE

Educatrice et psycho-
thérapeute d'enfants,
Mme Lecompte est
responsable de l'Unité
Maternelle thérapeutique
depuis 1966 et elle assume
depuis 1990 la coordination
de la Clinique spécialisée
de l'autisme sous la
responsabilité du
Dr Michel Lemay.

Voilà maintenant plus de trente ans que nous recevons des parents qui se présentent à notre unité de soins intensifs, s'avouant inquiets et déroutés devant leur enfant. Même si celui-ci est encore très jeune, il leur semble étranger, étrange et imprévisible. Souvent, ces parents nous résument ainsi leur grande souffrance: «*On ne sait plus ni quoi sentir, ni quoi pressentir pour lui, on ne sait plus comment le satisfaire... Nous n'avons plus de sens pour lui, il n'a plus de sens pour nous...* ». Certains d'entre eux qui ont eu auparavant la chance d'élever un enfant normal diront: «*Je n'ai rien fait de particulier, ça s'est fait tout seul...*», réalisant du même coup qu'avec un enfant gravement perturbé, ça ne se fait pas tout seul.

Maintes approches ont été développées pour prendre soin de ces enfants et de leurs familles. Que ce soient autour de thérapies individuelles de l'enfant ou de la mère, traitement fortement influencé par une approche psychodynamique, ou encore de thérapies de groupe, de milieu-thérapie ou de thérapies parents-enfant, notre philosophie de soin s'est essentiellement construite sur la base de l'engagement personnel des thérapeutes et elle a évolué en fonction d'un questionnement constant de nos pratiques (Richer, Lecompte, Collerette et al., 1974).

Nous basant sur notre cheminement professionnel et personnel, et sur notre vécu interactionnel vérifié durant vingt ans auprès de cette clientèle, il nous est devenu «*presque possible*» de s'identifier à ces parents et à leurs souffrances.

En se reportant aux besoins et aux attentes exprimés par les parents de très jeunes enfants atteints de pathologies graves qui viennent consulter au Centre de jour de l'hôpital Sainte-Justine, l'auteure expose les stratégies de traitement développées à la Maternelle thérapeutique, et particulièrement les séances d'observation et le travail sur les interactions entre parents et enfant.

En regard de l'accompagnement des parents, elle souligne l'importance du soutien procuré par le thérapeute accompagnant, tout en proposant des moyens d'acquérir cette formation. Une mise en garde est enfin apportée quant aux conditions exigées du milieu et aux précautions nécessairement associées à cette pratique.

C'est ainsi que nous avons resitué notre action comme éducatrice responsable d'un groupe d'enfants et que nous nous sommes réorientées, il y a maintenant dix ans, vers le travail thérapeutique parents-enfant.

Mais quelles sont leurs attentes, que viennent nous demander ces parents? S'ils veulent avant tout connaître le problème exact de leur enfant et s'ils viennent chercher des moyens d'y remédier, ils ont aussi besoin de trouver un lieu pour s'exprimer, se poser des questions, et entre autres, celle toujours lancinante de leur responsabilité dans l'apparition ou l'entretien de la maladie chez leur enfant. Dans bien des cas aussi, ils ressentent l'urgence de se libérer des émotions que l'enfant leur fait vivre, en fait, d'exposer leur situation et de s'ouvrir, sans se sentir jugés ni mis en cause personnellement. Pour tous, être parents d'un jeune enfant retardé, fermé, souvent indifférent aux autres, ne communiquant que très peu ou de manière distordue ses besoins, ne répondant pas en dépit d'approches et de stimulations répétées, tout cela engendre une amère déception, un sentiment d'impuissance, des tensions importantes dans le couple et face aux autres enfants, sans oublier un isolement social pénible à vivre.

Plusieurs questions se posent à l'équipe qui reçoit ces parents. Comment faire renaître cet enfant des cendres de l'enfant idéal, de l'enfant imaginé? Comment le rendre accessible, plus prévisible, comment corriger les interprétations projectives souvent faites de ses comportements, comment modifier les interactions entre parents et enfant qui se trouvent biaisées par l'incompréhension ou le déni de la pathologie? Comment, en somme, arriver à une meilleure synchronie des besoins de l'enfant et de ceux des parents?

Observation dirigée et travail sur l'interaction

Dans notre unité, les parents s'engagent à venir rencontrer le professionnel qui les accompagne une fois par semaine dans une situation d'observation. En sa présence, ils observent au moyen du miroir unidirectionnel leur enfant qui évolue auprès d'autres enfants et de son éducatrice, et le thérapeute accompagnant les assiste alors dans la tâche d'identifier les comportements, attitudes et réactions de l'enfant à ce qui se passe autour de lui et avec lui. Dans un deuxième temps, parents et thérapeute reprennent ce qui a été observé et reviennent sur ce qui a été vu tout en échangeant sur ce qui n'a pas été compris par les parents dans un effort incessant de donner un sens au déroulement de l'observation.

Par ailleurs, il faut le répéter, la plupart des parents n'attendent pas de nous une *«cure personnelle»*. Ils veulent plutôt qu'on leur donne des moyens d'aider leur enfant, et ils sont en droit de savoir, d'être guidés et accompagnés en ce sens. En cours de route cependant, et surtout si on a su répondre à une partie de leurs attentes premières, il sera possible d'aborder avec eux ce que leur fait vivre tel comportement, telle attitude de l'enfant. Mais cette démarche aura de meilleures chances de porter fruit si on a d'abord présenté aux parents un moyen d'observer leur enfant, de mieux saisir ses modes d'expression, ses besoins, ses limites, et ainsi nommer et approcher en quelque sorte l'enfant réel, tâche qui suppose toujours l'aménagement du deuil de l'enfant idéal.

C'est ici que l'observation dirigée peut permettre aux parents d'acquérir une connaissance réelle, et souvent même de découvrir leur enfant. Mais que veut dire *«observer»*, comment peut-on comprendre cette activité de l'attention qui entraîne à différer l'agir? Car il s'agit de regarder, de voir plutôt que de faire, de remarquer, sentir, ressentir, d'entendre le contenu des échanges verbaux, décoder de même le sens de cris, de vocalisations, de sourires ou d'échanges non verbaux, de contenir tous ces éléments d'expérience pour ensuite établir des liens entre eux. Mais observer signifie encore enregistrer et souligner les silences, les marques subtiles de poursuite visuelle, de recherche de proximité, capter les signes de fuite ou d'évitement, les manifestations émotionnelles d'anxiété, de colère, de retrait...

A la faveur de cet exercice astreignant, les parents sont donc amenés à reconnaître plus objectivement leur enfant, sa manière d'être, son niveau de développement, à devenir autrement attentifs, à revoir et corriger certaines de leurs attitudes, de leurs réponses à son égard. Ils ont ainsi la satisfaction de voir progressivement émerger de nouveaux modes de relation, à la fois plus satisfaisants pour eux et davantage en accord avec l'état réel de l'enfant. En contrepartie, on assistera au fil des rencontres à une transformation chez certains parents qui en viendront à renoncer à certaines attentes irréalistes fondées sur une méconnaissance ou un déni des problèmes de leur enfant. Là où le parent demandait trop ou trop peu, avec pour conséquences, des affrontements douloureux pour tous ou des répétitions stériles, il sera mieux à même de doser ses demandes et de soutenir plus adéquatement l'enfant tout en stimulant ses capacités d'apprentissage.

Toutefois, pour donner un sens et une continuité à ce qui semble de prime abord confus, chaotique et sans lien, la nécessité se pose au départ de questionner les parents, de manière à reconstituer le plus fidèlement possible l'histoire du développement de l'enfant et la façon dont son développement a marqué, souvent blessé les parents, et compromis la vision initiale qu'ils avaient de lui. Au niveau des besoins primaires, faim, soif, sommeil, élimination, que s'est-il passé de particulier? Par rapport à ses besoins, quelle est sa façon bien spéciale de les exprimer, comment manifeste-t-il ses refus, ses frustrations? Déjà, ce premier niveau d'échange donnera aux parents des moyens de mieux ressentir les besoins de l'enfant, de mieux y répondre et ainsi d'instaurer un rythme plus régulier et plus facile à comprendre par celui-ci. Parallèlement, l'enfant pourra expérimenter le temps, l'espace, la causalité, en anticipant mieux la réalité et en s'adaptant graduellement à la frustration.

L'aspect central du traitement est d'amener les parents à interagir avec l'enfant sur une base nouvelle. Ce travail sur l'interaction est essentiel pour appréhender les mécanismes en jeu dans la relation parents-enfant. On assiste peu à peu au rétablissement d'une continuité interne, processus essentiel à l'évolution d'une relation circulaire et bénéfique au développement de l'enfant.

Cette approche ne peut, bien sûr, être appliquée selon un pattern rigide et identique d'un cas à l'autre. Son application dépendra des particularités de chaque famille (degrés variables de méfiance, de négation, de deuils non résolus). Toutefois, l'avantage que nous y trouvons est qu'elle permet d'ancrer dès le départ l'accompagnement des parents dans l'observation de la réalité de l'enfant, ce qui semble, dans notre expérience, répondre aux attentes des parents et stimuler leur engagement dans le processus thérapeutique. De leur côté, les parents mentionnent souvent que ce type d'intervention les a aidés à se sentir plus compétents dans leurs rapports avec l'enfant, moins isolés face à ses limitations et ses bizarreries, plus ouverts au potentiel propre de l'enfant, même si celui-ci est restreint. Ils apprécient surtout l'accompagnement serré qui leur est procuré durant la phase douloureuse de la reconnaissance des déficits de l'enfant. Par ailleurs, le très faible taux d'absentéisme et la bonne collaboration du plus grand nombre de parents, nous semblent traduire leur satisfaction.

La nécessité d'une démarche personnelle

C'est certainement un des principaux objectifs du traitement, que ce soit par l'observation directe (thérapie parents-enfant), ou par l'observation indirecte, de trouver des moyens de développer des liens plus vivants, en somme, de redonner un sens à leur enfant. Ce travail requiert le développement d'une compétence, d'une sensibilité et d'une capacité de formulation chez le thérapeute qui nous paraissent indispensables pour rejoindre les parents avec justesse et respect.

Tout au long de cet accompagnement des parents qui engage d'une manière très spécifique le thérapeute, le fait pour ce dernier d'avoir été lui-même observé en pleine action avec l'enfant, de s'être exposé au regard du parent, mais aussi d'autres membres de l'équipe et de superviseurs (comme il a dû le faire dans un but de formation), cette démarche à la fois personnelle et interactive lui permet de mieux comprendre ce que peuvent vivre les parents quand nous les observons en présence de leur enfant.

L'impact qu'a eu la supervision dans notre pratique est bien réel. C'est en acceptant la contrainte de l'observation que l'on est amené à réaliser que bien des choses nous échappent. Les charges émotionnelles importantes qui se trouvent mobilisées pour faire face à la situation vécue laissent souvent peu de place à un regard critique ou même un tant soit peu objectif. De fait, la supervision active et personnalisée via le miroir unidirectionnel permet de recueillir des séquences (faits, gestes ou attitudes) qui peuvent être ensuite reconsidérées et discutées ouvertement entre superviseur et supervisé. Tout en apercevant la complexité des interactions, la portée de certains mouvements instinctifs ou les types de réactions qui peuvent être déclenchés, ces échanges «à chaud» sur le vécu en présence d'enfants très atteints sont aussi l'occasion d'une décharge émotionnelle importante pour l'intervenant.

Le support de l'enregistrement vidéoscopique, en offrant la possibilité de revoir certaines attitudes ou stratégies en présence d'un superviseur ou de membres de l'équipe, permet une distanciation et une décantation des affects, combien nécessaires au thérapeute. C'est un moyen de choix pour aborder les réactions contre-transférentielles et libérer l'intervenant de contenus trop subjectifs, ce qui lui permet de mieux saisir les enjeux en cause et de se rapprocher de plus en plus des besoins du sujet à aider.

Il nous semble aussi évident que le fait d'être l'objet du regard d'autrui stimule à mieux préparer les activités, et dans le cours de l'action avec les enfants, à mieux évaluer et secondariser ses interventions, et certainement aussi à devenir soi-même meilleur observateur. Ce processus d'apprentissage est toutefois largement dépendant de la capacité chez l'intervenant de faire confiance aux observateurs, d'accepter de donner et de recevoir, de ne pas tout comprendre sur le champ, et peut-être surtout de s'accepter lui-même en reconnaissant ses forces et ses faiblesses et en admettant l'impuissance que font souvent vivre ces enfants.

Enfin, on doit souligner l'importance de la discussion qui, tout en permettant d'intégrer des savoirs théoriques, fait accéder à une lecture secondaire des gestes posés. Cette recherche d'un sens personnel et authentique à ses interventions amène non seulement à mieux fonder la continuité de sa démarche et à se situer dans un rapport d'interdépendance plutôt que de compétition vis-à-vis des membres de l'équipe, mais elle nous paraît surtout essentielle sur un autre plan, celui de rendre l'intervenant moins jugeant et plus acceptant face aux parents.

C'est ainsi que cette formation qui repose sur tout un bagage d'interventions vérifiées en cours de supervision peut influencer le travail de milieu-thérapie, et plus spécifiquement servir à étayer l'alliance nécessaire entre le thérapeute et les parents. Sans cette démarche personnelle, comment arriver à décoder et à modifier les comportements des autres (enfants et parents)? Comment surtout comprendre l'anxiété, l'inadéquacité et la maladresse des parents, au moment d'être observés dans le cours de l'évaluation et du traitement de leur enfant? Vulnérables au jugement des autres, ils le sont encore bien plus que nous, tiraillés comme ils se trouvent entre leur malheur, leur culpabilité, leur sentiment d'impuissance ou d'incompétence à l'égard de leur enfant.

Dans notre rôle de soignants, en plus d'utiliser nos connaissances et notre savoir-faire, de reconnaître, traduire de façon claire et ressentir ce qui se joue devant et avec nous, il est essentiel de manifester une véritable appréciation devant la collaboration des parents, de recevoir et de contenir leur ambivalence tout en sauvegardant leurs liens mis à rude épreuve par la maladie de leur enfant. Il est également essentiel d'offrir une qualité d'assistance qui leur permette de continuer à se sentir responsables de leur enfant, tout en évitant de s'enliser dans la culpabilité, le blâme, la mauvaise conscience.

Si cette qualité d'assistance n'est pas préservée dans le cours des échanges avec les parents, si nous ne pouvons compter sur une communication réelle entre les parents et nous, comment pourrions-nous espérer réaliser notre objectif thérapeutique qui est de rétablir la communication entre cet enfant et ses parents?

Conditions et précautions associées à l'accompagnement

Ce processus, difficile et éprouvant pour l'enfant et les parents, l'est aussi mais peut-être différemment pour le thérapeute. Sa tâche est délicate et d'autant plus exigeante que le défi ici consiste à remplir une mission thérapeutique tout en préservant le caractère humain du travail engagé avec les parents. Certaines interventions intempestives faites auprès de parents blessés et vulnérables, peuvent avoir des effets désastreux, comme nous sommes hélas souvent à même de le constater.

Dans ce travail d'accompagnement, l'application hâtive et littérale de schèmes d'interprétation dérivés de diverses écoles de pensée ne peut qu'être reçue comme une intrusion violente. Toute interprétation devra d'abord être étayée par le décodage, au fil des rencontres, des attitudes, comportements et échanges avec les parents. Ce n'est qu'à ce prix qu'il sera possible au thérapeute de trouver un sens pour lui-même à ce qui est observé avant de pouvoir, mais ensuite seulement, le proposer aux parents. Pour intérioriser véritablement ce sens, il faut d'abord s'en nourrir, le métaboliser, afin qu'il devienne porteur de continuité, qu'il se trouve incarné et, de ce fait, qu'il colle à la situation particulière de cet enfant et de ces parents-là.

Sans ces précautions, l'interprétation servie à froid ne peut que blesser, choquer ou décevoir les parents et n'aura servi qu'à aggraver leur souffrance et renforcer leurs défenses. Ce risque est d'autant plus grand dans le champ des pathologies précoces et sévères du développement que notre ignorance est réelle par rapport à celles-ci (étiologies, complexité des atteintes, évolutions imprévisibles et imprécisions du diagnostic, pour ne nommer que ces aspects), et c'est cette même ignorance qui nous pousse bien souvent à avoir recours à un discours théorique ou à des modèles préconçus pour masquer nos doutes ou éponger l'inconfort au moment de devoir composer avec l'incertain ou l'incompréhensible de ces troubles.

Or, ce malaise du thérapeute n'est qu'un pâle reflet de celui que les parents vivent au jour le jour auprès de leur enfant. Un refus de notre part de les accompagner dans leur douleur, une faille dans notre fonction de contenant, a toutes les chances, surtout au stade initial de la thérapie, de déboucher sur un refus de la part des parents. L'aide réelle qu'on peut espérer apporter aux parents doit avant tout se fonder sur la continuité à maintenir dans la mise en relation significative entre ce qui est observé et ce qui est nommé. Seul un thérapeute apte à remplir ces fonctions de récipient, de miroir réfléchissant, de décodeur respectueux, pourra assister les parents dans cette tâche de rétablir un fil conducteur, de se réapproprier leurs malaises en les nommant, sans crainte d'être jugés ou encore, d'être réduits à des modèles préfabriqués.

Ceci suppose que le thérapeute s'appuie sur une bonne connaissance de lui-même et, plus précisément, des limites de son savoir, qu'il puisse demander l'aide de l'équipe de soin pour éclairer les inévitables zones d'ombre qui s'interposent à son effort de compréhension de l'enfant malade et de sa famille, aide nécessaire pour se remettre sur la piste thérapeutique. Si nous avons l'immense avantage de travailler en équipe, il ne faut pas oublier que les parents, pour leur part, doivent vivre dans une grande solitude avec leur enfant malade. En sachant leur offrir, autant que nous sommes, plusieurs paires d'yeux, plusieurs angles de vision, nous leur procurons, et souvent pour la première fois depuis la naissance de l'enfant, la possibilité de sortir de leur isolement et de partager leur vécu.

Un autre point névralgique à considérer dans notre tâche est celui-ci. Une fois établie une alliance entre parents et intervenants au stade de l'observation et du décodage des symptômes de l'enfant, la démarche thérapeutique passera par l'explication détaillée du plan d'intervention mis en place pour l'enfant. Il n'est pas évident pour les parents de réaliser que le traitement de leur enfant passera dans et par le jeu, dans et par les séquences de la vie quotidienne. Plusieurs parents ont des attentes différentes face à un milieu de soins spécialisés: ils croyaient que nous disposions de moyens un peu magiques pour traiter nos jeunes patients, et ils sont déroutés en constatant que les soins sont dispensés sur la trame «banale» de situations de tous les jours. Si nous prenons ici le temps de répondre à leurs questions, à leurs doutes, nous pourrons ensuite mieux profiter de leur collaboration dans l'application du plan d'intervention global.

Le fait de leur ouvrir l'accès au milieu de traitement, que les parents puissent observer les éducatrices, les autres professionnels à l'oeuvre auprès de leur enfant, constitue une marque de confiance et contribue à démystifier la nature même du traitement. Si nous acceptons nous-mêmes de nous exposer sous leurs regards, il deviendra plus facile pour les parents d'accepter celui que nous posons sur eux, sans se sentir pour autant jugés ou chosifiés par cette position d'être observé. Cette ouverture du milieu a en soi une valeur thérapeutique considérable car elle incarne la confiance, la réciprocité et le respect mutuel indispensables à la démarche de soin.

Si les parents sentent que nous pouvons admettre nos propres limites, que nous ne prétendons pas détenir toutes les réponses, il leur sera plus facile d'élaborer dans un climat de confiance, voire de complicité, à propos de questions délicates touchant les interactions remarquées entre eux et leur enfant. Par exemple: quelle est la part, dans les problèmes interactionnels présents, qui a été induite par la pathologie de l'enfant? Quelle est leur part de responsabilité dans l'entretien, et parfois l'aggravation des troubles, à travers des spirales interactives néfastes et souvent fondées sur une perception erronée des motifs de l'enfant, sur des attentes irréalistes ou sur la négation des limites propres à cet enfant, etc.? Qu'ont-ils projeté sur leur enfant, et de quelle façon sa pathologie a-t-elle déformé ces projections, et encore, que leur fait vivre cet enfant malade, ou que leur fait-il revivre par ses troubles?

Il nous semble que c'est à ce stade de l'évolution de l'alliance entre parents et intervenants que le travail sur les interactions et les représentations internes qui se sont tissées entre eux et l'enfant, a une chance d'avoir une portée véritablement thérapeutique et de conduire à une intervention globale qui prenne en compte aussi bien les besoins et les limites de l'enfant que la souffrance et les forces de ses parents.❖

After reviewing the needs and expectations expressed by the parents of very young children suffering from severe mental disorders, the author recalls the philosophy of treatment developed at the Intensive Care Unit, particularly the course of treatment and specialized accompaniment offered to the parents of young children treated at the Day Care Center of Ste. Justine Hospital.

While insisting on the necessity of supervision and team work, the author outlines the importance of direct and indirect situations of observation and she further stresses the benefits of interaction analysis for the child and his parents. She finally elaborates on the conditions, self-knowledge and authenticity on the therapist's part, that should be associated to this form of treatment.

Référence

Richer S., Lecompte F.V., Collerette J., Fouchard D., Leclerc P.C. La maternelle thérapeutique: philosophie de traitement. Revue de Neuropsychiatrie infantile, 1974;22(4-5):335-350.

P.R.I.S.M.E. automne 1994, vol. 4, no 4

L'INTERVENTION INTERCULTURELLE AVEC LES FAMILLES
À la découverte du réseau significatif

Nicole MILLETTE

Travailleuse sociale à l'hôpital Rivière-des-Prairies depuis 1970, Mme Millette est membre de l'équipe multidisciplinaire du programme des hôpitaux de jour. Présidente du comité d'accessibilité aux communautés culturelles de cet hôpital, son intérêt pour le multiculturalisme l'a amenée à participer à différentes sessions de formation au C.S.S.M.M. de 1982 à 1992, et elle poursuit sa réflexion dans le cadre d'un séminaire clinique d'ethnopsychiatrie à l'hôpital Rivière-des-Prairies.

P lus de 50% des parents d'enfants qui fréquentent l'hôpital de jour de l'hôpital Rivière-des-Prairies ont un vécu migratoire. Environ la moitié de ces familles sont d'origine haïtienne. Elles partagent la vie communautaire de différents quartiers de l'île de Montréal, dont celle des quartiers Saint-Michel, Montréal-Nord, Rivière-des-Prairies et Saint-Léonard.

Les enfants soignés dans le cadre de l'hôpital de jour présentent des troubles globaux du développement, des troubles de la communication associés ou non à des psychoses infantiles et, pour certains enfants, à de l'autisme. Les familles nous sont référées par les différentes équipes externes du programme de pédopsychiatrie de l'hôpital. De façon générale, l'histoire des consultations demandées dans le cas de ces enfants révèle que les parents ont consulté une première fois lorsque leur enfant était âgé de deux ans, parce qu'ils étaient inquiets de l'absence de communication verbale chez ce dernier. A la suite de diverses consultations et références professionnelles, l'enfant et sa famille sont accueillis par l'équipe soignante de l'hôpital de jour. Les parents demeurent toutefois inquiets, leur enfant sera-t-il à nouveau adressé ailleurs?

Plus de 50% des parents d'enfants qui fréquentent les hôpitaux de jour de l'hôpital Rivière-des-Prairies ont un vécu migratoire. L'approche privilégiée auprès de ces familles vivant un projet migratoire est l'approche interculturelle développée par M. Cohen-Émérique qui implique une triple démarche de la part de l'intervenant.

L'auteure reprend ici le deuxième volet de cette démarche thérapeutique, soit celui touchant la découverte des référents culturels d'une famille. Plus spécifiquement, elle aborde la question de l'identification des personnes significatives au sein du système familial et social d'enfants d'origine haïtienne soignés à l'hôpital de jour.

L'intervention psychosociale avec les familles

L'intervention psychosociale avec les familles s'inspire de la théorie des systèmes. Les principaux concepts théoriques retenus sont ceux de réseaux primaire et secondaire, de frontières et de générations. L'intervention sociale priorise dès lors l'équilibration et la réactivation des systèmes familiaux et sociaux, mais elle est aussi psychodynamique. On reprend avec les parents le processus de deuil de l'enfant mythique, de l'enfant rêvé ainsi que leur souffrance narcissique. Avec les familles vivant un projet migratoire, on privilégie l'approche interculturelle. Dans le cadre de celle-ci, la reconnaissance des référents culturels du migrant représente une étape essentielle du processus d'aide.

Cadre théorique de l'approche interculturelle

L'approche interculturelle actualisée avec les familles réfère au modèle d'intervention développé par Margalit Cohen-Emérique (1984, 1993), psychologue pratiquant en France. Cette thérapeute schématise l'approche interculturelle en une triple démarche chez l'intervenant, soit:

a) se décentrer de ses propres modèles
b) découvrir les cadres de référence de l'autre
c) faire une observation et chercher une explication extérieure permettant une prise de distance de notre part.

La décentration réfère à la prise de conscience du fait que la relation interculturelle implique que deux acteurs sont en présence: le moi, porteur de culture et de sous-cultures, et l'autre, qui me renvoie à ce que je suis. Cohen-

Emérique précise que la décentration ne peut s'opérer que dans le heurt avec le différent, ce heurt est familièrement appelé «choc culturel». Ce heurt avec la culture de l'autre joue comme révélateur de sa propre culture, ce qui nous permet d'intégrer la connaissance de l'autre avec ses différences culturelles.

La découverte de l'univers socioculturel du migrant représente pour cette auteure la recherche de configurations culturelles porteuses de significations et non pas un recensement de traits, d'attitudes ou de discours isolés. Cependant, certains «filtres» ou écrans peuvent mettre en échec la reconnaissance de l'autre ou induire une perception négative de ce dernier. Les représentations concernant la famille, l'éducation des enfants, les stéréotypes et préjugés sont quelques-uns de ces filtres qui interviennent dans la communication interculturelle.

Se décentrer de ses modèles culturels et de ses grilles d'analyse occidentale exige un cheminement individuel difficile mais essentiel. A cet égard, Cohen-Emérique écrit: «*C'est seulement en prenant conscience de ses préjugés, de ses attitudes ethnocentriques que le professionnel développe une attitude d'ouverture à la différence.*»

La reconnaissance identitaire du migrant et de son réseau significatif

Martine Abdellah Pretceille (1985) définit la situation interculturelle comme étant une interaction entre deux identités qui se donnent mutuellement un sens. Dans le cadre de l'intervention avec les familles d'origine haïtienne, il s'avère important d'identifier quelles personnes de leur système familial et de leur réseau social peuvent permettre une co-construction de sens, sens donné au symptôme de l'enfant et sens donné aux soins donnés à ce dernier.

Afin d'identifier adéquatement ces personnes significatives, il est nécessaire de se centrer sur les structures familiales et sociales de la communauté haïtienne ainsi que sur leur conception de la parenté. Schématiquement, pour les membres de la communauté haïtienne, la parenté est un système étendu qui intègre à la fois la mère, le père, les enfants, mais aussi les cousins, les oncles, les tantes, les neveux, les parrains, les marraines et les voisins. La notion de parenté réfère ici à l'ensemble des liens biologiques et sociaux qui unissent des parents.

Emerson Douyon (1979) écrit, en parlant de sa communauté d'origine: «*L'individu n'est jamais isolé et il partage la responsabilité de ses actions avec la famille, le village.*» Le réseau de solidarités familiales et sociales joue différents rôles au sein de la communauté haïtienne, des rôles de renforcement identitaire, d'entraide, de contrôle social, de soutien émotif et financier. Le *«Nous»*, représentant tous les adultes de ces réseaux, prend en charge la socialisation et l'éducation des enfants; il leur offre différents modèles d'apprentissage et de relation.

La structure familiale est dite patriarcale, mais elle se révèle matrifocale. Colette Sabatier et Marc Tourigny (1990) parlent de *patriarcalité* en faisant référence aux lois et à l'Eglise qui donnent à l'homme haïtien tous les droits et pouvoirs ainsi qu'au fait que l'autorité paternelle est incontestable et ce, malgré une présence épisodique au sein de la famille.

Nos contacts quotidiens avec les familles haïtiennes dévoilent une structure matrifocale, en référence au rôle joué par la femme au sein de la famille. Beaucoup de mères rencontrées sont, de fait, chefs de famille monoparentale. La maternité pour la femme haïtienne s'inscrit dans une passation de pouvoir mère-fille. Mère et grand-mère se partagent la protection de l'enfant durant les premières années de sa vie. Celui-ci est perçu comme un être vulnérable qu'il faut protéger des mauvais esprits.

Différents rites de protection sont donc mis en oeuvre dont les rites alimentaires, le rite religieux du sacrement du baptême, le choix d'un parrain et d'une marraine. Lors de l'intervention psychosociale, on peut observer le maintien de rites alimentaires au sein de certaines familles dont un des membres fréquente l'hôpital de jour, les difficultés de l'enfant prolongeant, en quelque sorte, sa période de vulnérabilité.

Le premier contact avec la famille

Lors de la première entrevue avec l'adulte ou les adultes qui accompagnent l'enfant à l'hôpital de jour, il est important d'établir le lien familial ou social qui les unit à l'enfant ainsi que l'identification des personnes de «*conseil*» auxquelles la famille se réfère lors d'une difficulté.

Les enfants soignés à l'hôpital de jour sont habituellement accompagnés de leur mère mais on remarque depuis quelque temps que plusieurs pères consultent pour leur enfant. Certaines familles sont accompagnées par un membre de leur parenté étendue qui possède des connaissances ou auquel elles reconnaissent un savoir.

Cette personne significative remplit un rôle de médiation entre l'intervenant et le système familial qui consulte. Elle peut vérifier, auprès de l'intervenant, ses connaissances cliniques, son écoute, son ouverture au discours de la famille. Elle introduit le travailleur social et contribue à l'établissement d'une relation de confiance entre l'intervenant et la famille de l'enfant.

La ou les personnes de conseil sont des personnes significatives qui permettent l'élaboration du sens du symptôme. Nous retrouvons parmi celles-ci: la grand-mère maternelle, le parrain, la marraine de l'enfant ou du parent et parfois une amie, un ami. Les mères rencontrées, en entrevue, se réfèrent habituellement aux autres femmes de leur communauté ou aux autres mères de leur réseau social, lors de situations familiales difficiles.

La visite à domicile donne accès aux différentes personnes significatives du système familial. Lors de ces contacts, il arrive fréquemment qu'une cousine, un cousin ou un voisin nous soient présentés. Ces personnes nous parlent de l'enfant, de son fonctionnement, mais aussi de leur compréhension du symptôme de celui-ci. Leur parole est retenue par les proches de l'enfant et les confirme dans leur perception parentale.

L'entrevue à domicile favorise l'accès à la métacommunication du système familial, c'est-à-dire aux valeurs et à l'implicité de ce dernier. A titre d'exemple, des photos de famille accrochées aux murs du salon peuvent nous aider à identifier quelles personnes sont significatives au sein du réseau social de cet enfant. Les peintures du pays d'origine, les statuettes, les images saintes sont autant de référents culturels. Les objets choisis, conservés lors de la migration, dévoilent les attaches au pays, l'ancrage culturel.

L'observation de la communication non verbale (gestes, mimiques, positions corporelles) entre les membres de la famille revêt une grande importance en intervention interculturelle. Elle apporte une nouvelle lecture d'une situation, les familles migrantes pouvant réunir plusieurs membres maîtrisant, à différents niveaux, la langue française. A titre d'exemple, l'observation de l'arrivée d'un enfant chez lui, après une journée à l'hôpital de jour, peut nous indiquer quel membre de sa famille l'accueille, le type de communication favorisée avec l'enfant, à quel adulte il se réfère et la réponse au besoin exprimé par celui-ci. Ainsi, selon qu'il est déshabillé par sa mère ou sa soeur aînée, l'enfant peut nous révéler jusqu'à quel point il est perçu comme un être dépendant que l'entourage se doit de protéger.

VIGNETTE CLINIQUE

Le réseau significatif de la famille P.

L'histoire de consultation de Sarah ainsi que l'intervention psychosociale actualisée auprès du système familial illustrent bien les propos tenus jusqu'ici.

Sarah est une fillette d'origine haïtienne, née à Montréal en 1988. Ses parents sont nés en Haïti et vivent à Montréal depuis douze ans. Sarah a une soeur aînée, âgée de neuf ans, née elle aussi à Montréal. La soeur cadette de Madame vit avec la famille depuis neuf ans; parrainée par Madame, elle poursuit ses études collégiales.

Les parents de Sarah consultent une première fois leur pédiatre, lorsque leur enfant a deux ans. Ils sont inquiets car celle-ci ne communique pas verbalement; elle est agitée, adopte une attitude opposante envers eux et elle ne s'intéresse pas aux activités de ses pairs. A la suite de cette consultation médicale, Monsieur et Madame sont rassurés; leur médecin leur a dit de ne pas s'inquiéter avant que leur fille ait trois ans, en leur rappelant que chaque enfant a son propre rythme développemental.

En février 1991, ils consultent de nouveau, leur cadette présentant les mêmes difficultés de communication et de socialisation. Sarah a trois ans et ils sont plus inquiets. L'enfant est alors référée pour une évaluation pédiatrique et psychologique. La famille se présente dans un grand centre hospitalier de la région métropolitaine. A la suite de ces évaluations, Sarah est référée en pédopsychiatrie.

En juin 1992, différents professionnels d'une des équipes externes de l'hôpital Rivière-des-Prairies la rencontrent; l'enfant est alors dirigée vers le programme des soins de jour de l'hôpital pour une période d'observation clinique.

En novembre 1992, nous accueillons Sarah et ses parents. Lors de ce premier contact, l'interrogation des parents s'exprime ainsi: «*Est-ce que Sarah va être de nouveau référée? Quand communiquera-t-elle verbalement ses besoins?*»

Au cours de cet échange initial avec la famille, la tante maternelle de l'enfant est identifiée comme personne significative. Elle est celle à qui on reconnaît un «*savoir*» car elle étudie au Cegep. Cette tante partage leur vie quotidienne, prend soin de Sarah lorsque Monsieur ou Madame s'absente. Elle partage la responsabilité parentale envers Sarah, supporte sa soeur aînée et offre à l'enfant d'autres modèles relationnels.

Une visite à domicile a lieu quelques semaines après l'intégration de l'enfant à l'hôpital de jour. Lors de cette visite, un ami de la famille est présenté par Monsieur comme étant «un frère». Ce dernier est originaire de la même ville qu'eux. Il les visite régulièrement et il connaît bien Sarah. Il me parle de celle-ci en ces termes: «*Sarah ne parle pas, elle parlera à l'âge de sept ans. J'ai connu quelqu'un qui ne parlait pas, puis il s'est mis à parler à l'âge de sept ans. Sarah est une petite fille comme les autres.*»

Cet ami est identifié comme étant la personne «*de conseil*» de la famille; c'est à lui que Monsieur et Madame se confient et qu'ils demandent conseil lorsqu'ils vivent une difficulté ou une inquiétude. Sa parole est retenue. Lors des entrevues subséquentes, Monsieur et Madame me renvoient à sa perception lorsque nous construisons le sens du symptôme de leur enfant. Les parents verbalisent: «*Sarah est une petite fille comme les autres. C'est un blocage, elle parlera un jour.*»

Au fil des entrevues, l'identification des personnes significatives de leur réseau familial et social se précise. Après dix-huit mois d'échange mutuel entre travailleuse sociale et système familial, le réseau significatif des P. peut s'illustrer ainsi:

Personnes de «conseil»:

- Monsieur J. B.   (ami de la famille)
- Monsieur P.   (grand-père paternel)
- Madame A.   (marraine de l'enfant et tante de Madame).

Personne possédant le «savoir»:

- Madame B.   (tante maternelle de l'enfant).

L'intervention psychosociale avec le réseau significatif identifié

A la suite de l'identification du réseau significatif de la famille, l'intervention psychosociale s'actualise en complémentarité et en continuité thérapeutique avec les membres de l'équipe soignante et ceux du réseau social de l'enfant. Avec les membres significatifs du réseau, on reprend les observations cliniques concernant l'enfant, ses besoins spécifiques ainsi que les recommandations cliniques de l'équipe multidisciplinaire.

L'intervention interculturelle avec les familles d'origine haïtienne s'inscrit dans un esprit d'échange mutuel et de reconnaissance de leur compétence parentale. Elle touche la souffrance et les attitudes parentales. La mutualité de l'échange avec la famille implique que le travailleur social connaisse bien le fonctionnement de l'enfant, sa dynamique et son plan de soin. Des périodes d'observation directe auprès de l'enfant ainsi que des échanges continus d'informations, de réflexions sur le sens du symptôme avec les éducateurs, éducatrices et thérapeutes, s'avèrent importantes.

Tout au long du processus d'aide, le réseau significatif de la famille est mobilisé, réactivé, et parfois même, reconstruit. En raison de barrières linguistiques ou de distances physiques, les modalités de l'intervention varient et se démarquent du cadre traditionnel d'intervention.

Intervenir avec la collaboration d'un tiers maîtrisant la langue maternelle des parents, démontrer gestuellement la recommandation clinique, intervenir directement auprès d'un enfant lors d'une visite à domicile sont des modalités d'intervention qui peuvent être nécessaires lorsqu'une personne ne maîtrise pas la langue française, comme c'est souvent le cas des grands-mamans haïtiennes.

Les pistes proposées à la famille étendue reposent sur le cadre de référence culturelle de cette dernière. Tobie Nathan (1991) et Marie-Rose Moro (1991, 1994), dans le cadre d'une approche en ethnopsychiatrie, utilisent parmi plusieurs autres éléments les propositions thérapeutiques. Ces propositions contribuent à établir un pont de communication entre l'enfant, sa famille et les thérapeutes. Elles sont des inducteurs culturels qui permettent à l'individu vivant en situation de rupture avec sa matrice culturelle, de déclencher son propre processus de guérison et ce, en accord avec ses théories et ses explications de la maladie.

La proposition thérapeutique est liée dans sa forme et son contenu aux dires du client ainsi qu'au contre-transfert de l'intervenant. Elle s'appuie sur le codage culturel connu du client et de l'intervenant et elle peut être tacite ou directe. Le dispositif thérapeutique proposé par Tobie Nathan requiert la participation de plusieurs co-thérapeutes afin d'induire la circulation de la parole lors de l'intervention.

La méthodologie et la théorie sous-jacentes à cette approche font actuellement l'objet de réflexions et de séminaires afin de vérifier leurs possibilités d'actualisation dans notre pratique. Les docteurs Ursula Streit et Pierre Verrier, du département de psychosomatique du C.H. Sacré-Coeur, ainsi que le Dr J.A. Segura, du département de psychiatrie de l'hôpital Rivière-des-Prairies, alimentent d'ailleurs ces réflexions cliniques dans le cadre de séminaires en ethnopsychiatrie auxquels participent différents professionnels.

Lors du départ de l'enfant de l'hôpital de jour, un retour est fait avec le réseau significatif à propos de leurs besoins d'accompagnement psychosocial. Certaines familles choisissent de poursuivre alors que d'autres préfèrent prendre un temps d'arrêt.

Conclusion

Les connaissances théoriques servent de balises pour découvrir l'univers socioculturel du migrant mais, avant tout, l'intervenant doit s'ouvrir à ce qui est significatif pour celui-ci.

Découvrir ce qui donne un sens de même que ce qui a un sens au sein de chacune des familles que nous rencontrons, tel est le défi de l'intervention interculturelle où chacun doit accepter d'être dérouté et apprendre à conjuguer avec le relativisme culturel. ❖

More than 50% of the parents of children attending the day hospitals at Hôpital Rivière-des-Prairies have a history of migration. Families experiencing their migratory project respond best to an intercultural approach such as the one developped by Margalit Cohen-Emerique. Briefly outlined, the intercultural approach implies a triple process on the part of the person intervening, that is: throwing one's own cultural and professional models off center; discovering the other person's frames of reference, his or her cultural referents; analysing his or her transference.

Within the context of this article, we will present only the second portion of this therapeutic process, that is the portion dealing with the family's cultural referents. More specifically, we will discuss the identification of significant people within the family and social systems of a child of Haitian origin treated at day hospital.

Références

Abdallah Pretceille M. Pédagogie interculturelle: bilan et perspectives. In: **L'interculturel en éducation et en sciences humaines.** (Tome 1). Toulouse: Université de Toulouse Le Mirail, 1985:25-32.

Bilodeau G. Méthodologie de l'intervention sociale et interculturalité. **Service Social** 1993;42(1):25-48.

Camilleri C, Cohen-Émérique M. **Chocs de cultures: concepts et enjeux pratiques de l'interculturel.** Paris: L'Harmattan, 1989:77-117.

Cohen-Émérique M. Choc culturel et relations interculturelles dans la pratique des travailleurs sociaux: formation par la méthode des incidents critiques. **Cahiers sociologie économique culturelle** 1984;2:183-218.

Cohen-Émérique M. L'approche interculturelle dans le processus d'aide. **Santé Mentale Qué** 1993;18:71-92.

Dejean P. **Les haïtiens au Québec.** Montréal: Presses de l'Université du Québec, 1978.

Douyon E. Pratiques culturelles et migration haïtienne au Québec. In: **Le travail avec les familles de jeunes marginaux.** (Actes du Colloque international). Vaucresson, France, 1979:223-236.

Douyon E. Intervenir sur la différence: un défi. **Rev Int Action Communautaire** 1985;54:113-119.

Moro MR. Essai d'analyse des propositions thérapeutiques spécifiques en entretien ethnopsychiatrique mère-enfant. **Psychol Française** 1991;36(4):307-322.

Moro MR. Penser de nouvelles manières de faire avec les parents migrants et leurs enfants. **Neuropsychiatrie Enfance Adol** 1994;42(1/2):3-11.

Moro MR, Nathan T. Ethnopsychiatrie de l'enfant. In: Lebovici S, Diatkine R, Soulé M. Eds. **Traité de psychiatrie de l'enfant et de l'adolescent.** 2ième éd. Paris: PUF, 1994:1-33.

Nathan T. Fier de n'avoir ni pays, ni amis: quelle sottise c'était. **Psychol Française** 1991;36(4):295-306.

Sabatier C, Tourigny M. Ecologie sociale de la famille haïtienne. **P.R.I.S.M.E.** 1990;1(2):18-40.

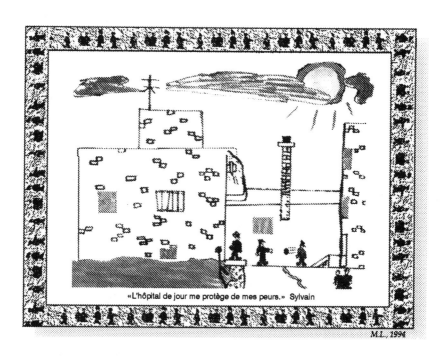

«L'hôpital de jour me protège de mes peurs.» Sylvain

M.L., 1994

431

Les débuts de la scolarité de Thomas

Porte ouverte sur une pratique pédagogique en centre de jour

Françoise LE COLLETTER

Mme Le Colletter a une formation d'éducatrice spécialisée et une maîtrise en psychopédagogie.

Elle est actuellement titulaire d'une classe d'accueil à la CECM après avoir enseigné pendant sept ans au Centre de jour du Département de psychiatrie de l'hôpital Sainte-Justine.

De nombreux ouvrages ont été consacrés au traitement des psychoses infantiles, au déroulement des psychothérapies et à l'approfondissement d'histoires de cas. Peu cependant abordent la problématique de la scolarisation s'adressant à des enfants psychotiques. Les quelques considérations sur la nécessité d'offrir une pédagogie adaptée à cette clientèle sont plus souvent émises par des psychiatres (Ajuriaguerra, 1970; Hochmann, 1983, 1985; Lemay, 1987) que par des pédagogues (Chabanna, 1992; Favre, Midenet et Coudrot, 1981). Il est en effet rare de trouver dans la littérature spécialisée des textes explicitant ce que serait cette approche et, plus rare encore, de pouvoir s'immiscer dans l'étonnante rencontre de deux mondes intérieurs: celui d'un enfant psychotique et celui d'un enseignant.

Je me propose donc dans cet article d'expliciter ma pratique, de montrer comment elle prend forme à travers les institutions qui la structurent et les nécessités internes des enfants qui me sont confiés. Pour concrétiser cette pratique et en exposer la problématique, voici le récit de l'itinéraire parcouru durant deux années scolaires par un de mes élèves, Thomas. Cet itinéraire est aussi un reflet de mes propres accommodations en tant qu'enseignante au centre de jour, car Thomas est l'un des premiers élèves qui m'y ait été confié.

En se reportant à l'itinéraire pédagogique parcouru par Thomas, un jeune garçon souffrant de troubles graves du développement, l'auteure tente d'expliciter son rôle d'enseignante de même que son vécu et ses efforts pour mettre les programmes et le matériel pédagogique au service du traitement d'enfants gravement perturbés qui fréquentent le centre de jour du département de psychiatrie de l'hôpital Sainte-Justine.

Dans sa discussion, elle insiste sur la nécessité d'être attentive au vécu interne de ces enfants qui influe de manière importante sur leurs capacités d'apprentissage et elle décrit finalement le rôle et l'apport de l'équipe qu'elle juge essentiels dans une telle pratique d'enseignement.

Les scènes relatées dans ce texte se déroulent dans un centre de jour qui fait partie du dispositif thérapeutique d'un département de psychiatrie infantile. Ce centre reçoit des enfants souffrant de «troubles envahissants du développement» (DSM-IV), terme sous lequel sont regroupés les troubles de l'enfance caractérisés par des distorsions dans la perception du temps et de l'espace, des perturbations graves de la fonction de symbolisation, de la communication et des capacités de socialisation en général.

Pour aider ces enfants, une structure thérapeutique a été mise en place qui conjugue relation éducative, pédagogie adaptée, action concertée avec le milieu familial et éventuellement psychothérapie ou rééducation spécialisée, ceci par l'intermédiaire d'un travail d'équipe placé sous la responsabilité conjointe d'un psychiatre directeur et d'un coordonnateur de milieu-thérapie.

Les trois enseignants responsables de la scolarisation des enfants traités dans ce centre de jour sont des orthopédagogues employés par la Commission des Écoles Catholiques de Montréal. Ils reçoivent les enfants en classe par groupe de trois, quatre, parfois cinq enfants, à raison d'une, deux ou trois heures par jour, selon les besoins. Les locaux réservés à la classe sont attenants à ceux utilisés pour les autres activités qui structurent la journée de ces enfants.

La pédagogie au centre de jour fait partie de la thérapie de milieu. Les enseignants sont donc membres à part entière d'une équipe de soin, tout en étant tenus de rendre compte de leurs actes à l'organisme qui les engage et les supervise. Les enseignants sont des soignants qui doivent poursuivre et évaluer des objectifs définis par le ministère de l'Éducation. Ce statut peut se révéler inconfortable pour l'enseignant; il a cependant l'avantage d'inscrire au quotidien la pédagogie dans sa visée thérapeutique en permettant de multiples interactions avec les différents membres de l'équipe.

Pour répondre aux besoins de cette singulière clientèle, les orthopédagogues ont le choix entre deux programmes scolaires, soit le programme de français et de mathématiques qui s'adresse à une clientèle régulière, ou celui dit de *«formation en base continue»* qui s'adresse à une clientèle de déficients mentaux. Pour atteindre les objectifs pédagogiques déterminés par ces programmes, il est recommandé de faire un découpage de ceux-ci en sous-objectifs de plus en plus spécifiques qui seront atteints en quatre étapes par degrés allant de la première à la sixième année. A travers les différents perfectionnements offerts aux enseignants, on propose une approche de type cognitiviste. L'enseignant est donc invité à placer ses élèves en situation de résolution de problèmes. Il se doit de faire appel très systématiquement aux connaissances antérieures des enfants et d'aider ceux-ci à les systématiser. Le matériel didactique et l'évaluation des apprentissages sont empruntés à cette philosophie.

Si les programmes scolaires ont l'avantage de servir de cadre de référence, s'ils permettent de situer l'enfant par rapport à une norme et s'ils nous aident à ne pas oublier les exigences de la réalité, il est évident qu'ils ne devraient cependant pas entraîner, chez l'enfant psychotique, une trop grande mise en déséquilibre cognitif. Il revient donc à l'orthopédagogue de les repenser, de les adapter, afin de les mettre au service d'un enfant fragile qu'il faut d'abord et toujours chercher à réunifier. On s'en doute, le défi pédagogique est de taille!

En effet, comment proposer à des enfants si peu conformes à la norme, des programmes et un matériel pédagogiques conçus pour des groupes d'élèves capables d'adopter un rythme collectif d'apprentissage? Comment faire coïncider les objectifs définis par le programme du ministère avec les nécessités internes des enfants qui fréquentent un centre de jour? Que faire des étranges et répétitifs intérêts de l'enfant psychotique, intérêts qui n'évoluent pas plus vite que les nécessités internes dont ils procèdent? Faut-il les exploiter? Est-il nocif de le faire? Que faire pour apprendre à parler, à lire, à écrire et à compter à ces enfants en miettes qu'il faut sans cesse contenir et rassembler?

Si je ne sais pas répondre à ces questions, je peux toutefois montrer comment je les aborde et comment je tente dans mon quotidien d'y trouver quelques solutions.

L'itinéraire d'apprentissage de Thomas

Thomas a sept ans et demi quand il arrive au centre de jour où il a été référé après un séjour en classe maternelle dans l'école de son quartier et une année de scolarisation dans une classe à effectifs réduits pour enfants souffrant de déficiences multiples. L'admission au centre de jour est demandée par l'école *«pour que l'enfant puisse bénéficier d'interventions massives et continues dans un cadre plus approprié à ses besoins»*. Les différentes évaluations psychiatriques et autres mentionnent des traits autistiques, des mécanismes de défenses de type paranoïde, une dysharmonie de développement; tous ces rapports soulignent les troubles sévères du langage chez ce garçon.

Thomas est l'aîné d'une famille de deux enfants. Ses parents sont divorcés depuis peu. La mère, récemment retournée sur le marché du travail, a la garde des enfants qui voient leur père une fin de semaine sur deux. Les deux parents prennent adéquatement soin de leurs enfants.

➥

Thomas adore les chiffres. Il s'y cramponne, les utilise dès le matin à son arrivée, s'en empare comme d'une bouée de sauvetage pour ne pas couler à pic dans sa journée. Il aime réciter les jours de la semaine, décliner les mois de l'année et les saisons. Il a opté pour le temps circulaire afin que rien jamais ne commence ni ne finisse, afin que la vie s'enchaîne dans un éternel recommencement de séquences hautement prévisibles. Parce que les changements, si minimes soient-ils, sont inévitables, Thomas crie. Il crie au meurtre, à l'explosion, au feu, à la catastrophe... Ses cris, unique moyen de défense, sont comme des sonneries d'alarme. Elles opèrent efficacement, barrent la route à toute intrusion, dressent entre les autres et lui une barrière qui semble infranchissable.

Thomas n'a pas d'amis. Il se protège des autres enfants en maintenant une distance physique constante entre lui et eux. On peut le voir jouer, dans la salle de jeu, avec de gros blocs de plastique qu'il encastre pour dresser des murailles ou bien encore, on peut l'entendre feindre explosions ou accidents de voitures, sinon procéder à des emprisonnements sans fin.

Thomas bouge peu, se déplace lourdement, comme d'un seul bloc. Il a beaucoup grossi depuis son arrivée au centre de jour, même si nous l'encourageons à restreindre son appétit gargantuesque.

Les troubles et le retard de langage, bien que Thomas ait été suivi par une orthophoniste, sont tels que nous avons tous, à son arrivée au centre et pendant les trois années de son séjour, de la difficulté à le comprendre. C'est comme s'il possédait une langue à lui, langue qui contiendrait des mots d'anglais, de français et quelque chose d'autre qui viendrait de nulle part. En classe, quand Thomas juge mes demandes trop élevées, il utilise, de préférence sur une note aiguë, ces mots qui viennent de nulle part et qui me confondent.

➥

C'est un jour de classe ordinaire. J'en suis à mes débuts d'enseignante au centre de jour et je me sens très démunie devant mes étranges élèves. La pédagogie ouverte que je pratiquais à l'école alternative n'est plus indiquée ici. Je viens de changer volontairement et radicalement d'univers. Pleine de bonne volonté, je propose aux enfants de faire un magasin, de jouer à la marchande, d'avoir de l'argent et un porte-monnaie. On a dû me faire faire ça un jour quand j'étais petite, alors je répète! Je fais faire un porte-monnaie en carton avec deux rectangles collés sur trois côtés par une bande de papier collant. Je donne aux enfants un certain nombre de pièces de monnaie avec lesquelles on va pouvoir acheter ce qu'on veut...

L'activité semble plaire à Thomas. Rouleau de papier collant en main, il en entoure abondamment et très solidement son porte-monnaie, et l'argent de papier que je viens de lui donner par la même occasion. Il me montre, ravi, un porte-monnaie de carton devenu totalement hermétique et parfaitement inutilisable, un porte-monnaie ficelé à tout jamais! Il le met dans sa poche. Il ne veut rien acheter, rien échanger, rien donner. L'activité est terminée et elle le satisfait totalement!

Et si elle me satisfaisait, moi aussi? Si je me contentais pour aujourd'hui du sourire de Thomas, histoire de me sortir du cul-de-sac dans lequel il a placé «mon» activité, quitte à m'y prendre différemment par la suite... J'en suis vraiment à mes débuts! La prochaine fois, je prendrai soin de faire trier les pièces de monnaie par les enfants et de les faire placer dans des pots de plastique transparent qui se bouchent et se débouchent. Je diminuerai mes attentes et tenterai de ne pas avoir d'intentions à trop long terme. Dans quel étrange univers suis-je arrivée? Cet enfant est-il mon cobaye ou mon maître? Comment m'introduire dans l'univers de mon élève, quand sa seule nécessité semble être de garder, de fermer et de contenir?

❧

Je suis devenue le prolongement de Thomas. Je suis une main, une chaise, un objet qui résiste à n'être que cela. Parce que je ne comprends pas ce que l'enfant veut me dire, j'ai tendance à me laisser conduire par lui. En me tirant par la manche, Thomas parvient toujours à me conduire vers ses désirs. Tandis qu'il fait l'économie des mots, je parle pour lui. Il me semble que je n'en finis plus de tenter de me réintroduire en tant que personne dans son quotidien. Si ses rituels m'agacent parce qu'ils l'engluent dans une petite mort où tout n'est qu'éternelle répétition, ils ont pourtant la capacité de mobiliser mon désir de lui insuffler ma propre énergie.

J'acquiers, au contact de Thomas, une série d'habitudes. J'apprends à utiliser avec largesse le papier collant, à éviter la colle dont il a horreur, à ne pas défaire les dizaines et les centaines de bâtons de plastique attachés ensemble pour des exercices de numération. Quand je tiens l'enfant par la main, j'entrecroise mes doigts aux siens. Quand il vient s'asseoir sur mes genoux en me transformant en chaise sans me demander mon avis, ce sont mes deux bras autour de sa taille qui l'enserrent et mes doigts, là aussi, qui s'entrecroisent. Quand je lui fais faire un dessin, je prends soin de dessiner le cadre au milieu de la page blanche. Ce cadre doit être petit pour que dessin il y ait, car Thomas ne s'aventure dans rien sans avoir d'étroites balises autour de lui. Dans ce cadre, il dessine un minuscule bonhomme-Thomas qu'il enserre lui-même en traçant d'autres cadres encore. Par le pouvoir du trait, ainsi mis en sécurité maximale, il se calme et s'attelle plus facilement à la tâche que je lui demande. Je deviens attentive à la nécessité d'inclure au début de chaque activité scolaire une façon d'installer et de symboliser le contenant dont l'enfant semble avoir tant besoin. Je ressens à travers lui le plaisir d'encastrer, d'utiliser des jeux auto-correcteurs, d'encercler ou d'encadrer pour délimiter, de colorier pour combler un vide, donc d'être contenu par l'activité. C'est toute ma pédagogie qui est en train de se transformer, de changer de sens. Pendant mes années d'enseignement à l'école alternative, école privilégiant une pédagogie ouverte, j'avais appris à guider les enfants dans la réalisation de leurs projets personnels. Thomas est en train de m'apprendre qu'il existe des projets personnels qui sont de l'ordre de la survie.

●◦

Grâce au cahier de mathématiques, nous nous trouvons un terrain commun, une aire de repos faite d'additions, de soustractions, de termes manquants. Ici foisonnent les régions à délimiter et à colorier, les ensembles à entourer et les suites logiques à compléter. Ici pullulent les petits carrés où doit être inscrite «la bonne réponse», celle qui nous dit que tout va bien et que la vie peut continuer. J'ai de quoi contenir l'enfant tout en jouant assez confortablement à la «maîtresse d'école». Thomas a de quoi se rassurer!

L'utilisation du cahier de mathémathiques donne pourtant lieu à une petite bataille entre l'enfant et moi. Thomas veut décider seul quelle page il fera et comment il la fera. Ce n'est pas ce que je veux. La bataille est longue mais je la gagne: Thomas accepte de suivre une certaine progression. Fière de ma première victoire, et d'autant plus que j'étais lasse de me soumettre au contrôle excessif de l'enfant, je négocie de plus en plus souvent. Je fais un pas en avant, reste sur place, en fais un autre, et ainsi de suite. Dans les faits, je prends l'habitude de répondre aux demandes de Thomas par un «Oui, d'accord, mais...», auquel il finit par dire «OK!».

Avouons maintenant que remplir un cahier de mathématiques de A à Z n'est pas très pédagogique. Quelle enseignante d'ailleurs n'aurait pas honte d'enseigner à coup de cahiers d'exercices? Il vaudrait mieux faire manipuler, faire découvrir, inviter l'enfant à résoudre dans le quotidien des problèmes concrets. Mais Thomas a horreur des questions. Il a horreur du vide, horreur de se tromper, horreur d'être corrigé. Aussi apprend-il surtout par imitation. Je montre comment faire tel exercice tout simplement en le faisant moi-même, en disant ce que je fais et en manipulant moi-même le matériel que je mets ensuite à sa disposition. Il me suffit de dire «Continue!», et Thomas continue...

Pendant ces temps libres, quand il a fini son travail, Thomas fait écho à mes explications en manipulant blocs, bâtonnets, animaux ou objets divers en plastique. Il construit alors de curieux systèmes de cadrage avec des bâtonnets, notamment un carré protecteur auquel il ne faut pas toucher et qui se meuble de diagonales à n'en plus finir. Le vocabulaire du cahier d'exercices réapparaît de temps en temps. Il est question de régions extérieures et intérieures. Thomas reproduit des suites logiques avec des jetons, des bâtons, des blocs. Il invente lui-même sa consigne. Il joue souvent et de façon très répétitive avec un boulier ou un tableau de numération.

Il arrive que je puisse entrer dans certains de ses jeux. Thomas aime faire et me faire faire des pyramides avec des verres en carton. Il aime les défaire puis les refaire de plus en plus hautes en me demandant de décider du nombre de gobelets qui doivent être enlevés avant de détruire son échafaudage.

- «Reste 3, Françoise, ah, ah, perdu, impair, ah, ah!»

Ah, Ah. Il y avait donc une règle, mais elle n'avait pas été nommée. Il aurait donc fallu la deviner! Passons encore pour celle-là qui, à travers le jeu, nous garde en contact, mais que faire de toutes les autres intentions que je ne comprends pas parce qu'elles ne sont pas nommées? Il faut si souvent deviner ce que pense l'enfant, et cela demande parfois tant d'efforts qu'il m'arrive de démissionner et de fonctionner en parallèle avec lui dans une espèce de confort où les demandes sont minimisées, confort dans lequel l'enfant m'apparaît alors si emmuré et si seul que le désir me vient de le déstabiliser un peu malgré tout pour le faire sortir de sa carapace et me désennuyer du même coup.

⊷

A son arrivée dans ma classe, je constate que Thomas connaît les lettres de l'alphabet, reconnaît quelques mots ici et là. Il parvient à en décoder d'autres avec beaucoup d'aide mais bute et crie systématiquement devant tous les petits mots de deux ou trois lettres, tels les articles, pronoms ou conjonctions de coordination qui, dans une phrase, relient les mots centraux entre eux en leur donnant un sens. Je tâtonne d'une méthode à l'autre. J'essaye tout, ne continue rien, parce qu'aucune méthode ne semble plus satisfaisante qu'une autre.

Je me résouds finalement à lui apprendre à lire avec tout ce qui me tombe sous la main: les petits livres d'histoire en série, les textes des livres de lecture recommandés pour les enfants de première année, les abécédaires, les livres de bibliothèque, etc.. Je lis et lui demande de répéter après moi. J'accepte de supporter les phrases amputées de leurs mots de liaison. J'obtiens quelques mots plus criés que dits ou lus: quelques mots lancés comme autant de pierres surgies d'un volcan en éruption, comme autant de projectiles qui, à la façon dont ils ont été projetés dans l'environnement, pourraient bien nous retomber sur la tête! Mais, pierres ou pas, je persévère. Je le fais lire malgré tout: lire ou parler, on ne sait pas au juste... Il crie, mais il crie de moins en moins fort. Il me fait remarquer les mots qui sont les mêmes, ceux qui reviennent toujours. Je lui fais remarquer les sons, ceux qui reviennent toujours. Du plaisir de la constance naît un semblant de méthode à travers laquelle des apprentissages se font petit à petit. Je lui écris des mots à recopier dans son cahier, puis des mots troués de quelques lettres manquantes, morceaux de vide qu'il prend plaisir à combler... puis des phrases trouées de mots clés qu'il retrouve au bas de la page et qu'il recopie à la bonne place.

Il apprend ainsi à écrire un peu. La main est crispée sur le crayon, le trait est lourd. Thomas a besoin de consigner dans la marge le nombre de mots écrits. J'accepte cette réintrusion des mathématiques dans le cahier de français et parviens à lui faire écrire de toutes petites phrases qu'il compte aussi. Quand il faut effacer, c'est le drame! Je ne cède pas et efface moi-même s'il le faut, tandis que Thomas crie. Sa colère lui fait dessiner des carrés dans lesquels il écrit «FAUX», et qu'il barre et rebarre en appelant la police, en menaçant d'emprisonner tout ce qui l'entoure, en commençant par moi. Malgré tout, en additionnant les mots bien écrits et avec le temps, il finit par s'aventurer du côté de la langue, de ce qu'elle véhicule comme sens. Il accepte de plus en plus souvent de se séparer momentanément et sans catastrophe imminente de sa citadelle de chiffres.

A travers ces histoires lues, ces mots écrits et notre relation préservée, Thomas parvient petit à petit à me confier dans ses propres mots l'histoire d'un tout petit chat qui a bien mal à la patte et qui voudrait être soigné. Première ouverture, première brèche dans la carapace et première confidence...

> - *Pauvre Thomas, petit chat malade! Faut lécher patte.*
> *Soigner petit chat. Aller chez docteur, l'a mal!*

Ce premier aveu renforce mon empathie et m'inspire l'utilisation de quelques textes, histoires et dessins de chats. Il me confirme la nécessité de mettre, même si je ne suis pas médecin, des attelles à mes élèves avant de les faire avancer.

Je lui présente les bandes dessinées de Jim Davis et de son gros chat Garfield qui ne pense qu'à manger. Ce héros débonnaire me semble capable de mettre un peu d'humour dans la vie de Thomas. Garfield parvient à faire rire un peu mon élève tandis qu'il me repose des seuls récits d'explosions que l'enfant me ressasse. Mais ses livres préférés sont définitivement ceux qui font partie d'une même collection et dont il m'oblige à lui lire à l'endos tous les titres disponibles. Nous lisons donc en série. Je raconte en série.

❧

Malgré l'ardeur que Thomas consacre à son cahier de mathématiques, magré sa parfaite connaissance du système de numération et de l'algorithme, les objectifs terminaux d'une première année de scolarité ne peuvent être atteints dans la mesure où ils sont conçus en termes de résolution de problèmes. La résolution de problèmes suppose en effet une capacité langagière susceptible de tenir compte de plusieurs données. Elle suppose une capacité de mettre en relation ces données, de se maintenir minimalement, le temps d'une réflexion, dans un déséquilibre cognitif. Elle suppose aussi que le sujet soit capable de tolérer que diverses réponses soient possibles.

Je ne peux évidemment demander cela à Thomas, du moins pas pour le moment. Je me sens un peu bloquée. L'enfant pourra-t-il aller plus loin? Heureusement, parce qu'un camarade de classe amorce un programme de troisième année et apprend les multiplications, je m'aventure à les apprendre aussi à Thomas. Il se délecte de leurs mécaniques répétitives, les apprend par coeur et s'en montre très fier. Pourquoi alors ne pas enchaîner sur l'opération inverse qu'est la division, même si cela n'est pas dans le programme, et permettre ainsi à Thomas de se sentir «grand»? Pourquoi ne pas utiliser ses prouesses académiques pour lui permettre, en rentrant dans le jeu de la compétition, de se situer par rapport à ses pairs et, par conséquent, de cesser de les ignorer?

Thomas apprend à diviser en écrivant l'équation de division correspondant à chaque multiplication. Je lui fais illustrer cette division avec du matériel concret seulement quand il en connaît déjà la réponse. Je lui évite volontairement pendant un premier temps tout tâtonnement. Il s'agit donc là d'une démarche mécanique tout à fait opposée aux habituelles méthodes pédagogiques. L'illustration de la division consiste à placer dans un certain nombre d'assiettes des quantités égales d'un matériel X. Cette équité plaît à Thomas qui en profite pour me parler de son frère, de ce qui, à la maison, est juste et de ce qui ne l'est pas. A travers ces manipulations de matériel, il mime quelques injustices: des assiettes seront moins bien remplies que d'autres; ce sera l'occasion de se fâcher, d'appeler la police (moi, en l'occurrence!) et de rétablir la justice avec joie.

Malgré tous les efforts de l'enfant et les miens, quand arriveront les examens du ministère de l'Education, quand viendra le temps d'évaluer les acquis de l'enfant par rapport à la norme, je ne pourrai rendre compte du cheminement réel de Thomas. En arrondissant les angles, en aplanissant les difficultés, je dirai qu'il est prêt à passer en deuxième année. Car comment évaluer un savoir qui n'a d'autres fonctions que celle d'être un baume sur l'angoisse et un vernis sur l'image de soi?

Thomas est placé, l'année suivante, pour sa dernière année au centre de jour, dans un groupe d'enfants plus évolués et plus confrontants. Il y termine une deuxième année en français et entreprend en mathématique, de façon assez mécanique, une partie du programme de troisième année. Il quitte ensuite le centre de jour et est intégré dans une classe spéciale de son quartier où il fait, nous dit-on, des progrès lents mais réguliers.

Discussion

Quand les nécessités internes de l'enfant guident le travail pédagogique

Au contact de Thomas et de la plupart de mes élèves, j'ai ressenti en tant que personne encore plus qu'en tant qu'enseignante (comme le réalisent tous les intervenants), l'urgence de diminuer la souffrance de ces enfants, celle d'organiser les activités, de structurer le temps et l'espace pour créer, en guise d'attelle, un cadre qui soit pour eux le plus sécurisant possible. Puis, j'ai été interpellée, devant l'image extrêmement négative que ces enfants avaient d'eux-mêmes, par l'urgence de trouver un chemin et des moyens de valorisation. Enfin, la nécessité m'est apparue de nourrir leurs modèles intérieurs, de soutenir chez eux la construction de repères dans le temps et dans l'espace, de leur permettre l'élaboration d'images et de symboles. Sécuriser, valoriser, nourrir: telle est bien la tâche de tout enseignant, et pourtant...

L'enfant psychotique, à travers son propre système de défense, si maladroit soit-il, offre à l'enseignante les moyens de répondre à ses besoins de base. Mais encore faut-il que l'enseignante soit suffisamment attentive à l'enfant pour l'entendre, qu'elle ait trouvé le moyen de ne pas se noyer dans les contenus d'un programme, ni dans les tumultes de son propre univers affectif que les enfants ne manquent pas de soulever, ou encore de percuter souvent durement.

Thomas, d'emblée, manifeste l'utilisation qu'il veut faire des mathématiques. Elles lui serviront à conjurer le sort, elles neutraliseront ce qui en lui menace d'exploser. Il faut donc les utiliser au maximum comme cataplasme, prendre au sérieux leur faculté cicatrisante, quitte à galoper dans le programme de mathématiques réduit à son aspect mécanique, tandis qu'on avance dans le programme de français au seul rythme possible de négociations ardues avec l'enfant. Tous les exercices qui permettent de délimiter une réalité, de la compléter, de la circonscrire sont appréciés pour leurs vertus cicatrisantes. Mais il n'y a pas d'illusions à se faire ici, c'est seulement quand l'enfant ira mieux que ces exercices conduiront à des acquisitions réelles et qu'ils rempliront les objectifs pédagogiques qu'ils étaient supposés viser.

Pour Thomas, faire ses devoirs de mathématiques seul comme le fait son grand frère, remplir une page d'exercices sans erreur représente une source très réelle de valorisation. Etre un champion en multiplication, faire, comme un élève plus âgé, des divisions, cela signifie qu'il est un bon écolier. Or, être écolier est la fonction sociale de l'enfant dans notre société. Il nous appartient évidemment de savoir doser les épreuves pour que l'intention de valorisation ne devienne pas un encouragement à l'illusion de toute-puissance.

Si Thomas n'accepte la lecture qu'à travers la découverte des constantes, s'il n'écrit que pour boucher des trous, faire échec au vide, et possiblement, colmater ainsi une brèche interne, cela ne veut pas dire pour autant qu'il n'apprend pas, qu'il ne fait aucun lien et qu'il ne construit pas, à son rythme, des schèmes nouveaux de connaissance. Le matériel pédagogique fourni est là pour supporter l'absence de références, l'absence de mots, l'absence d'images. Il offre un appui aux efforts de symbolisation que fait l'enfant, il codifie le réel et peut devenir le support d'une émotion qui cherche à se nommer. Il arrive parfois que certains enfants aient besoin d'un cadre presque aseptisé où ne doit être utilisé que le moins de mots, le moins de symboles, le moins de matériel possible, afin de limiter les projections de tous ordres que font ces sujets.

Cette aseptisation temporaire du cadre ne me fait pas dire pour autant qu'il faille viser à tout prix la neutralité en pédagogie, comme certains auteurs le préconisent (Favre, Midenet et Coudrot, 1981) en recommandant de ne présenter aux enfants que des situations d'apprentissage dénuées de toute charge affective. Certains textes ou certaines illustrations de livres peuvent être une source de réconfort pour l'enfant et une occasion pour l'enseignante de répondre à des questions fondamentales. La connaissance progressive de l'enfant permet de savoir si on doit éviter tel ou tel matériel ou, au contraire, s'il y a lieu d'entrer de plein fouet dans les sujets de fascination de ces enfants. Il y a là un art du dosage que seuls, il me semble, l'expérience et le temps peuvent apporter. Cet art du dosage s'appuie sur la connaissance de l'enfant, sur la compréhension de son vécu au jour le jour. Le vécu quotidien de l'enfant psychotique demande à être décodé par une équipe, par une multitudes de regards appelés à converger vers les besoins globaux de ces enfants.

Du vécu de l'enseignante et de la nécessité du travail d'équipe

Thomas n'est pas le seul élève dans la classe. J'ai souvent eu à faire face, et en même temps, à l'agressivité dévastatrice de tel enfant, à l'opposition massive de tel autre, et à différentes formes de désorganisation chez tel autre encore. La gestion de classe qui est attendue de toute enseignante prend donc ici une forme bien particulière. Ce n'est plus un groupe en tant que tel qu'il faut gérer mais bien plutôt une multitude de sens qui risqueraient de rester des non-sens si une équipe, dans toute sa diversité, n'était pas là pour réinscrire les comportements insolites ou même saugrenus de ces enfants dans un discours cohérent, pour les objectiver et permettre ainsi un recul salutaire.

J'ai besoin, tout en gardant mon autonomie, de la présence presque immédiate de mes collègues, de la collaboration des parents, de la capacité de chacun à décoder ces comportements étranges et perturbateurs pour pouvoir les comprendre, les supporter et permettre aux enfants d'évoluer.

L'équipe agit comme «garde-fou», et Dieu sait si l'enseignante a besoin de ce «garde-fou» pour pouvoir enseigner malgré tout, et avoir accès à cet outil très personnel qu'est l'empathie.

C'est en parlant au jour le jour avec mes collègues que j'ai pu nommer la quête d'immutabilité de Thomas et pressentir davantage sa fragilité. A partir de cette carapace dont nous parlions, je m'étais construite au sujet de Thomas l'image d'un enfant que la terre aurait enfoui après avoir tremblé. Il fallait donc le sortir des décombres avec autant de détermination que d'infinies précautions, tellement tout autour de lui menaçait de s'effondrer. Thomas était aussi cet écolier un peu lourdaud, accroché à son sac d'école, heureux d'aller en classe remplir ses cahiers, heureux aussi de retrouver un environnement familier. Ces images qu'il faisait naître en moi m'aidaient à être et à rester son professeur.

Peut-on dire que les sentiments empathiques de l'enseignante, tout comme sa connaissance de l'enfant acquise à travers le regard de l'équipe, forment la trame de son alliance avec lui? Ne devrait-on pas alors considérer cette faculté qu'a ou n'a pas l'enseignante d'être empathique à ce que vit l'enfant, et sa capacité d'entendre le discours d'une équipe, comme la pierre angulaire sur laquelle seule peut se construire sa classe, et dans celle-ci, sa relation avec chaque enfant?

Certes, la classe reflète la personnalité de l'enseignante, de même que son bagage d'expériences personnelles et professionnelles, mais elle laisse aussi transparaître les comptes que celle-ci doit rendre aux parents, à l'institution, à elle-même, à ce qui est «socialement désirable». Dans la vie d'une classe se jouent des règles, des objectifs à atteindre, un programme à couvrir, un mode d'évaluation à respecter. Pendant les sept années où j'ai travaillé au centre de jour, j'ai vu ma pédagogie se transformer petit à petit (et pas toujours pour le meilleur) sous les pressions, si justifiées soient-elles, de ma commmission scolaire. Je me suis vue bien souvent m'affoler pour un rien, revendiquer à propos d'un enfant transféré d'un autre groupe, m'indigner à propos d'un autre qu'on ne réussissait pas à classer ou devant un programme inconciliable avec la réalité du groupe, ou encore renoncer devant un enfant qui ne semblait pas progresser... Sous ces pressions, je me suis sentie à d'autres moments m'enliser dans la répétition, dans une sorte de petite mort qui, possiblement, menace tout intervenant travaillant avec ce type d'enfants. Est-ce que je m'ennuyais alors dans l'ordre que j'avais créé ou que la réalité de ma classe me renvoyait? Est-ce l'enfant et lui seul qui, dans le carcan de sa maladie, imposait cet ordre? Mais de quel ordre parlons-nous? Est-il potentiellement mortel et, si oui, pour qui?

Il se trouve en effet que l'enfant psychotique, comme tout enfant en grande difficulté, a besoin de l'ordre et des répétitions qu'il implique, des structures de la classe et de ses lois pour se sentir contenu. Il a besoin d'être contenu par le cadre, besoin d'être contenu par la relation, à travers le regard que l'on porte sur lui et par le biais des contenus offerts. Plus les parois psychiques des enfants sont fragiles, plus l'ordre de la classe, les lois qui en forment le cadre, doivent être solides et permanentes. On peut se demander alors comment l'enseignante, devant cette rigueur imposée, peut parvenir à sauvegarder des attitudes de souplesse, d'écoute et d'accueil? Comment peut-elle parvenir à retrouver, par-delà le cadre mais aussi grâce à lui et à travers lui, sa capacité de se laisser aller à ce qui est en train de se vivre et la spontanéité nécessaire pour improviser sur ce vécu? Comment peut-elle en somme sauvegarder sa vitalité, sa créativité?

Si on admet, par ailleurs, qu'il est pratiquement impossible, dans ce genre de classe, de ne pas être un puissant moteur des activités, tant la réponse des enfants est minime et truffée d'embûches relationnelles, tant le terrain est miné et contaminé par les projections de tous ordres, comment faire en sorte de ne pas tomber dans la rigidité d'une directivité trop aseptisante?

Pour éviter ces pièges, du moins en partie, force est de recourir à l'équipe, à son coordonnateur et à sa capacité de contenir ses membres, de les valoriser et les nourrir, c'est-à-dire sa capacité d'assumer des fonctions analogues à celles que chacun de ses membres doit exercer auprès des enfants. Force est aussi de se montrer particulièrement vigilant devant les pressions qu'exerce une institution aussi puissante par son organisation que peut l'être une commission scolaire.

Créer une activité pédagogique, installer un climat propice à réaliser des apprentissages, stimuler et soutenir les efforts pour tenter d'inscrire l'enfant dans un registre de connaissances qui sont celles demandées à n'importe quel enfant dans l'état actuel de notre société, faire en sorte que cette activité possède assez d'éléments contenants pour sécuriser l'enfant mais assez d'élasticité et d'ouverture pour permettre l'émergence du désir chez lui: tel est le défi de la pratique dans ce milieu.

Conclusion

Quand j'étais enfant, il m'arrivait de jouer à la maîtresse d'école avec mes soeurs et mes amies. L'essentiel du jeu consistait à placer les décors: pupitres, tableau, craies et grande règle. Nous aimions hausser la voix, punir, récompenser... J'ai souvent eu l'impression dans l'exercice de mes fonctions au centre de jour, toutes proportions gardées, de «jouer à la maîtresse d'école». Tout se passait comme s'il m'était nécessaire de mettre en scène la réalité scolaire de façon presque caricaturale pour interpeller avec assez de force l'enfant dans sa partie la plus saine. Tout se passait comme si, pour accepter d'amputer la pédagogie de ses inutiles mises en situation, de ses excès de démonstration et de mes attentes irréalistes de production, il me fallait refaire chaque jour l'effort de bien me camper dans mon rôle. Comme si je devais m'employer à soigner mon personnage, lui faire atteindre sa possible vérité mais sans jamais le prendre trop au sérieux. La clef d'une harmonie entre l'exercice de la clinique et celui de la pédagogie tient-elle à l'art de bien jouer son rôle?

On ne joue pas seul au centre de jour: le monologue avec l'enfant psychotique serait mortel pour les deux parties. Les acteurs sont donc nombreux et le jeu est aussi complexe qu'il est subtil. Sentiments d'incompétence, jalousie, ennui, insécurité, découragement, etc., alourdissent le jeu des acteurs plus souvent qu'il ne le faudrait. L'aire de jeu doit être sans cesse décontaminée, redéfinie, les tensions rapidement gérées avant qu'elles n'interfèrent dans les répliques. La scène que l'enfant psychotique s'emploie à détruire doit être aussitôt reconstruite. Le cadre doit être solide sans devenir pour autant un carcan. L'enseignante, comme tous les traitants, a besoin de se sentir contenue, si elle veut pouvoir continuer à contenir l'enfant à travers le cadre qu'elle a choisi d'offrir. Le rôle du coordonnateur est donc primordial, tout comme l'est celui du metteur en scène au théâtre. De sa capacité à gérer les tensions, de la profondeur de son engagement, de son authenticité, va dépendre en partie la capacité de l'équipe à exercer sa fonction thérapeutique. Peut-être est-ce trop demander à une seule personne? Combien le fil sur lequel se maintient une institution peut ainsi paraître d'une extrême ténuité...

Sans cesse bombardés par les symptômes des enfants, faut-il encore que les acteurs soient aussi menacés par le jeu des pouvoirs administratifs qui cherchent à minimiser les frais d'une entreprise dont on peut difficilement et de façon quantitative prouver la rentabilité? Faudra-t-il toujours jouer à guichets fermés?

Tant qu'il existera des enfants malades d'être, il me semble que les centres de jour dans leur fonction thérapeutique sont de première nécessité. Je souhaite que ces centres conservent leur vocation clinique. Quelle que soit la nécessaire redistribution des ressources humaines qui leur soit imposée, je leur souhaite la force de résister aux pressions susceptibles de les amputer de leur sens.❖

The author recalls the pedagogical itinerary of a young boy suffering from severe mental disorders in the course of his treatment at the day care center of the Department of psychiatry of Ste. Justine Hospital. Through vivid scenes offered to the reader, she describes the learning difficulties and progress experienced by Thomas in his reading and mathematical class activities, bringing evidence to his particular learning patterns. While insisting on the necessity to adapt pedagogical material and programs to the needs of these children, the author further stresses the necessity for the teacher to rely on team work and other professionals' counsel and support.

Références

Ajuriaguerra J, Inhelder B, Jaeggi A, Roth S, Stirlin M. Les troubles de l'organisation et la désorganisation intellectuelle chez les enfants psychotiques. **Psychiatrie Enfant** 1970;12:309-412.

Chabanna JL. Félicie et l'écriture additive. In: Hochmann J, Ferrari P. Eds. **Imitation, identification chez l'enfant autiste.** (Païdos - Recherche) Paris: Bayard, 1992.

Favre JP, Midenet M, Coudrot A. **Psychopédagogie de l'enfant psychotique.** Paris: Masson, 1981.

Gaetner R. Les problèmes pédagogiques des enfants psychotiques. **Rev Neuropsychiatrie Infantile** 1975;23:819-831.

Hochmann J, Redon MN, Boccard H. L'enfant psychotique, l'équipe psychiatrique et l'école. **Confrontations Psychiatriques** 1983;23:209-234.

Hochmann J. Un aspect de la collaboration enseignants-psychiatres. **Neuropsychiatrie Enfance Adol** 1985;33:375-377.

Laperrière R. L'enfant psychotique et la scolarisation. **Rev Can Psycho-éducation** 1988;17:40-51.

Lemay M. **Les psychoses infantiles.** Paris: Fleurus, 1987.

Ober M. **Pédagogie, psychanalyse et psychose.** Paris: Fleurus, 1983.

«L'hôpital de jour, c'est une école bien différente» Cynthia

Et si jouer n'était pas un jeu d'enfant…
ou l'ergothérapie en centre de jour

Patrick MAJOR

L'auteur est actuellement ergothérapeute dans deux des hôpitaux de jour de l'Hôpital Rivière-des-Prairies avec une clientèle d'enfants d'âge préscolaire atteints de troubles graves du développement. Il a travaillé pendant une année au centre de jour de pédopsychiatrie du Pavillon Albert-Prévost de l'Hôpital du Sacré-Coeur de Montréal.

L'ergothérapie en pédopsychiatrie est une discipline qui peut aider à la compréhension globale de l'enfant et à son traitement. Auprès de tout jeunes enfants présentant des troubles relationnels, différentes approches peuvent être utilisées afin de développer leurs capacités et ainsi optimiser leurs chances de suivre un développement plus harmonieux. Notre but est de faire connaître l'une des approches ergothérapiques possibles en pédopsychiatrie en centre de jour, soit l'approche d'intégration sensorielle telle que nous l'avons utilisée dans le cadre de notre implication au centre de jour du Pavillon Albert-Prévost.

Dans un premier temps, nous présenterons sommairement le type de clientèle retrouvée au centre de jour et nous définirons le rôle de l'ergothérapeute au sein de l'équipe multidisciplinaire. Puis, nous élaborerons quelques notions sur le cadre thérapeutique utilisé. Dans un second temps, nous nous attarderons davantage à définir l'intervention d'intégration sensorielle, en nous appuyant sur des exemples cliniques. Enfin, nous terminerons par quelques pistes de réflexion sur la complémentarité entre l'approche d'intégration sensorielle et l'approche d'orientation psychodynamique.

La clientèle

Les enfants sont référés au centre de jour vers deux ans et demi, âge où des troubles du développement se manifestent avec assez d'ampleur

L'auteur présente l'intervention d'ergothérapie en petits groupes au centre de jour de pédopsychiatrie du Pavillon Albert-Prévost de l'Hôpital du Sacré-Coeur de Montréal, auprès d'enfants d'âge préscolaire ayant entre autres des troubles graves du développement. Des notions portant sur le cadre d'intervention, les fondements théoriques de l'intégration sensorielle ainsi que sur les principes sous-tendant l'intervention sont exposées. Enfin, l'auteur élabore quelques réflexions sur la complémentarité entre l'approche d'intégration sensorielle et l'approche psychodynamique.

pour qu'il y ait référence et investigation plus approfondie. Ces enfants pourront bénéficier des services du centre de jour jusqu'à ce qu'ils soient d'âge scolaire. Ils se présentent à nous avec des problèmes importants du développement (psychose, pré-psychose, autisme infantile), des carences affectives et matérielles graves ou des risques élevés de troubles psychiatriques (Intercom, 1984). Plusieurs sont atteints de troubles spécifiques du développement ainsi que de troubles neurologiques associés, tels que dyspraxie et dysphasie, pour ne nommer que ceux-là.

Le rôle de l'ergothérapeute au centre de jour

Certes, utilisant une approche holistique, l'ergothérapeute tente d'identifier les facteurs qui entravent le développement de l'enfant, tant dans les sphères motrice, sensorielle, communicative, psychologique, socio-affective que ludique. Par le moyen de l'analyse d'activité[1], spécificité de l'ergothérapie (Santé et Bien-être social Canada, 1986), l'ergothérapeute s'efforce de comprendre les réactions de l'enfant aux différentes stimulations de l'environnement, d'émettre des hypothèses et de développer une approche thérapeutique adaptée, utilisant entre autres l'approche d'intégration sensorielle comme base théorique et modèle d'intervention. Dans un cadre de complémentarité entre les intervenants, le rôle particulier de l'ergothérapeute au centre de jour du Pavillon Albert-Prévost implique une intervention plus précise dans les sphères sensorielle et de motricité globale, donc une intervention axée davantage sur le corps et sa représentation psychique. L'ergothérapeute cherchera à préciser si l'enfant présente un retard de développement dans ces deux sphères, ou plutôt un trouble du développement lié ou non à la pathologie pédopsychiatrique. C'est par cette distinction qu'il établit entre retard et trouble que l'ergothérapeute prend une place spécifique tout en développant une intervention thérapeutique individualisée et en partageant ses observations avec les autres membres de l'équipe multidisciplinaire.

Le cadre

_____*Le cadre physique*___ Les interventions se pratiquent dans une maison qui ressemble à toutes celles du quartier: une cuisine, une salle d'eau, un sous-sol, des pièces pour jouer, une cour extérieure composent le décor quotidien. Pour les groupes en ergothérapie, on utilise une salle de bonne grandeur où l'on retrouve des crochets au plafond pour suspendre du matériel thérapeutique, des matelas, un gros cube qui représente parfois un château, parfois une maison dans les arbres, un plan incliné se métamorphosant en montagne, un grand miroir, des barils, une échelle de corde; voilà un cadre sécuritaire et sécurisant où le fait d'avoir du plaisir devient un jeu d'enfant.

_____*Le cadre psychique*___ Le groupe étant à la base de l'intervention, quantité d'efforts seront déployés afin que les enfants développent un attachement significatif aux intervenants et, par induction, aux autres enfants. Ce premier attachement sera consolidé par certains éléments constants du cadre, tels qu'un même local, des jeux qui ont une continuité d'une séance à l'autre, et une séquence temporelle de jeux déterminée. Ce cadre est mis en place pour permettre que des fragments de repères commencent à s'organiser dans la tête des tout jeunes. Le ratio pour les groupes d'ergothérapie étant bas, soit de un adulte pour deux enfants ou de deux pour trois, l'accompagnement des enfants sera étroit, tant sur le plan des habiletés de jeu demandées que sur le plan affectif.

Le cadre, de par sa fonction contenante ainsi que limitative, permet de donner un sens aux agirs de ces enfants. En effet, comme le proposent St-Jean et Desrosiers (1993), les fonctions du cadre vont permettre d'«(...) *offrir un espace supportif favorisant l'expression libre et sans restriction (...)» (fonction contenante). De même, «(...) les possibilités d'exprimer les angoisses ou les émotions dans l'agir ou les plaintes somatiques vont être ainsi limitées.»(fonction limitative)*, (p.3). Pour ces enfants souvent non verbaux, les attaques contre le cadre, comme les fuites hors du local, le bris du matériel thérapeutique ou les agirs agressifs envers l'intervenant seront porteurs de sens, selon le décodage que nous pourrons en faire. De plus, l'utilisation de l'espace et du matériel sera considérée pour favoriser la constance du cadre: tapis où les enfants doivent s'asseoir pour le rassemblement, coins de pièces réservés à certains types de jeux, etc.

Le cadre décrit plus haut est donc un constituant indissociable de notre pratique au centre de jour. L'approche d'intégration sensorielle que nous utilisons est constamment teintée de cette compréhension psychodynamique du cadre.

Les bases théoriques de l'intégration sensorielle

La théorie d'intégration sensorielle (ou sensori-motrice ou neurosensorielle) a été élaborée par A.J. Ayres à la fin des années 60 (Silberzahn, 1988). Depuis, nombre de livres et articles ont enrichi la littérature à ce sujet (ex.: Fréchette, 1992; Ayres 1964, 1965, 1972, 1979, 1980, 1989). Nous résumerons brièvement la pensée de cet auteur.

Cette théorie s'étant étoffée au cours des années, Ayres (1989) définit maintenant l'intégration sensorielle comme étant:

> (...) le processus neurologique qui organise les sensations venant du corps ainsi que de l'environnement et rend possible l'utilisation efficace du corps dans l'environnement. Les aspects spatial et temporel des inputs des différentes modalités sensorielles sont interprétés, associés, et unifiés. (...). Le cerveau doit sélectionner, amplifier, inhiber, comparer et associer les informations sensorielles dans un patron flexible et constamment changeant; en d'autres mots, le cerveau doit les intégrer. [traduction de l'auteur], (p.11).

Il apparaît donc que, par cette approche thérapeutique, le processus d'intégration sensorielle peut être amélioré en contrôlant les afférences au système nerveux central, le but étant que l'enfant puisse interagir plus correctement avec l'environnement et retirer une satisfaction appropriée de l'expérience. Une meilleure intégration des sensations, de la part de l'enfant, permettra de diminuer les déficits d'intégration et ainsi de réduire les comportements inappropriés qui freinent la capacité d'apprendre.

La combinaison des informations en provenance des systèmes tactile et vestibulo-proprioceptif est primordiale au développement du schéma corporel, de la coordination des deux parties du corps, de la planification motrice, de l'attention et de la stabilité émotionnelle (Ayres, 1979). C'est par l'intégration des informations provenant des systèmes visuel et auditif, et par le développement optimal des capacités du cerveau que les habiletés supérieures telles que la concentration, l'organisation, l'estime de soi, la capacité d'abstraction et de raisonnement ainsi que la spécialisation des deux côtés du corps et du cerveau peuvent s'acquérir.

Le système tactile est une organisation complexe de récepteurs situés dans la peau et à l'entrée des poils. C'est par l'intégration des sensations venant de nos récepteurs cutanés (chaud, froid, doux, rugueux, etc.) que, dès les premiers mois de vie, l'extérieur commence à être ressenti et que la différenciation soi/non-soi s'amorce. «Le toucher est notre premier langage. Il est le premier système à fonctionner in utéro et sert d'intermédiaire à nos premières expériences dans ce monde.» [traduction de l'auteur] (Montagu, 1978, dans Royeen et Lane, 1991, p. 108). L'aspect affectif du contact avec l'environnement humain et non humain est donc mis en jeu par ces premiers échanges sensoriels; ce contact permettra la naissance de l'attachement et des capacités d'investissement.

Le système vestibulo-proprioceptif, quant à lui, par l'intermédiaire des récepteurs situés respectivement dans l'oreille interne et dans les articulations, muscles et tendons, nous informe avec précision de la position de notre corps dans l'espace ainsi que de nos déplacements. Donc, un travail soutenu sur le plan des systèmes sensoriels décrits constitue la base de l'intervention auprès des tout-petits.

L'intervention

Nous pourrions les appeler Pierre, Stéphanie, Alain, Richard ou Michèle; tous nous arrivent avec un corps qu'ils habitent difficilement. Balancement du corps ou tournoiement sur eux-mêmes, évitement du contact physique ou incapacité à trouver une «juste distance», peur extrême d'être soulevé du sol, hypo ou hyperréactivité à des bruits, il s'agit là d'autant de manifestations visibles de problèmes posés par leur sensorialité, comme si chaque information sensorielle ne trouvait pas son chemin. Comment amener ces enfants à mieux réagir à ces perceptions de nature sensorielle, comment peut-on leur offrir un endroit où un espace intérieur moins désorganisé puisse s'aménager ou se rétablir?

Suite à une évaluation faite derrière le miroir unidirectionnel où parent(s) et enfant sont en interaction, et en considérant l'histoire développementale de l'enfant et les symptômes présentés par ce dernier, l'équipe se concertera afin de lui offrir une intervention intensive, selon ses besoins, dans toutes les sphères de son développement. Pour chaque enfant, un profil de traitement sera dressé, les besoins spécifiques établis et les pairages de petits groupes d'enfants effectués. Le groupe comme identité servant ici de moteur aux futures acquisitions de chacun, cette modalité sera omniprésente au cours du traitement.

Et la famille? Elle sera une source importante d'informations, de soutien et d'aide au traitement du bambin. Nombre de rencontres entre les intervenants et les personnes significatives du cercle familial viseront à comprendre la nature des difficultés de l'enfant dans son fonctionnement quotidien. Lors de ces réunions périodiques seront discutés, définis, aménagés, et sans cesse corrigés, le bilan de la problématique de l'enfant, le plan de traitement, les objectifs généraux et spécifiques, les difficultés familiales, l'orientation scolaire, pour ne nommer que ces points.

L'enfant, chez qui on aura évalué et reconnu la pertinence de se joindre au groupe d'ergothérapie, sera amené à développer une meilleure capacité à décoder et intégrer les sensations de base. L'évaluation de l'enfant sera faite sur le plan neuro-sensoriel à travers les activités de groupe. Les observations cliniques permettront de constater les déficits qu'il présente dans différentes sphères: niveau d'activité, tonus musculaire, réaction d'équilibre et de protection, intégration des réflexes primitifs, latéralité, réactions aux stimulations tactiles et vestibulo-proprioceptives, poursuites oculaires, etc. (Fisher et Bundy, 1991)

Comme le précise Ayres (1979), le développement dans les premières années de vie peut avoir été retardé dans certaines sphères spécifiques; l'origine de ce retard est parfois inexplicable, mais il en résulte que les interconnections entre les neurones fonctionnent de façon irrégulière. Il importe donc de bien distinguer la cause et de préciser le type de dysfonction d'intégration sensorielle parmi les symptômes que présente l'enfant.

L'intervention a pour but d'agir à un niveau sous-cortical, et donc hors du champ de la conscience de l'enfant, le plaisir de participer à l'activité devenant alors le motivateur intrinsèque (Ayres, 1972). Le rôle de l'ergothérapeute consistera à intervenir sur l'environnement pour offrir à l'enfant des stimulations intégrables (agréables, facilement tolérables et bien acceptées), tout en prenant soin de bien «*ressentir*» l'état sensoriel de l'enfant, de façon à ne pas provoquer de surstimulation chez lui. Un état de surstimulation se traduit souvent par des manifestations très individuelles telles que nausées, étourdissements, débordement émotif et/ou moteur, perte de contact relationnel, agirs agressifs ou comportements inhabituels. La réponse recherchée chez l'enfant est une réponse adaptée à l'environnement, qui n'est ni automatique, ni passive (Kielhofner, 1985). La performance n'est pas ici le critère d'évaluation puisque nous ne nous attardons pas au résultat mais plutôt au processus. Voyons maintenant par deux illustrations cliniques la forme que peut prendre l'intervention.

Marc, petit garçon frêle de 3 1/2 ans , hospitalisé par intervalles durant presque la moitié de sa première année de vie, a subi de nombreuses attaques puisqu'il a été opéré pour des malformations à la naissance. Il présente des problèmes du système immunitaire et a il a dû subir de nombreuses injections aux mains. Lors des premières investigations, les diagnostics d'autisme et/ou d'encéphalopathie étaient retenus. Le rythme de sommeil n'est pas établi et il mange difficilement. Il s'auto-mutile en se frappant la tête au sol ou avec les poings et s'enfonce parfois le globe oculaire avec l'index, alors qu'il est dans un état confusionnel d'angoisse et d'agitation motrice. Il présente une forte anxiété de séparation d'avec sa mère; lorsqu'il est laissé à lui-même, il court répétitivement dans tous les sens, dans un état de fébrilité alternant entre le plaisir et le déplaisir.

Nous le voyions avec un autre enfant dans des activités sensorielles simples où un certain nombre de stimulations tant visuelles que tactiles lui étaient présentées et où il allait, à son rythme, les rechercher. Une grande importance était portée à ses «états d'âme» et nous étions là pour qu'au cours de ces états, nous puissions l'aider à intégrer les excitations sensorielles en filtrant, modulant et contenant les stimulations. Les stimulations tactiles déclenchaient parfois chez lui de fortes angoisses et des réactions massives de retrait ou d'attaques pénétrantes dans le corps à corps ou aux yeux (tel que décrit par G. Haag, 1985). Les stimulations tactiles procurées par l'application de crèmes, par des jeux avec brosses, pinceaux et autres, visaient à lui offrir un lieu d'exploration et de réappropriation des sensations ressenties, à lui délimiter un contenant physique et un contenant psychique. Concrètement, c'est par des massages fermes, une gradation des textures allant de douces à plus irritantes et une stimulation allant des régions les moins sensibles aux plus sensibles, que les réactions d'angoisse de l'enfant commencèrent à s'atténuer, ce qui mit en évidence une plus grande intégration des sensations de base.

Le cas de cet enfant nous permet de voir comment se traduit l'émergence de l'état plus «autistique» ou encore, comme l'élabore G. Haag (1986), comment l'enfant passe de l'état autistique à l'état de symbiose pénétrante. En parallèle, le progrès sur le plan psychique s'observe du fait que les sensations/perceptions deviennent moins confuses et moins vécues comme des extrêmes sensoriels; le *«quelque chose d'intérieur/extérieur»* devient du doux, du piquant, du rugueux.

Eric, jeune garçon de 4 ans 7 mois, nous arrive sévèrement perturbé, le diagnostic étant celui d'un trouble envahissant du développement non spécifique. Issu d'une famille où il n'y a pas de structure, de règles ni d'ordre, il est dans un état confusionnel, clairement non individué. Les rythmes de sommeil et d'alimentation ne sont pas présents. Lorsque laissé à lui-même, il erre dans la pièce nonchalamment comme s'il était hors de toute temporalité. Il présente le tableau d'un enfant sous-stimulé. Les jeux vestibulo-proprioceptifs amènent déjà un peu plus de vigueur chez cet enfant à l'attention dispersée, constamment en quête de stimulation. Un jeu de glissade (assis sur une planche à roulettes) lui est proposé où il y a un mouvement linéaire franc, un soutien physique ferme et rassurant, un accompagnement intense afin de le recentrer sur la stimulation, un miroir pour voir le mouvement produit, et il réussit alors à intégrer peu à peu une stimulation qui est organisatrice de tout un comportement plus adaptatif. Dans le va-et-vient du tour de rôle, à la suite de quelques séances, cet enfant, d'abord en marge des relations, peut maintenant présenter une ébauche d'intention et de désir de faire, de demander, et d'être plus dissocié de l'autre. Au départ, son indifférenciation nous obligeait à prendre place avec lui sur la planche à roulettes. Graduellement, le support diminua, il se mit même à essayer de nouvelles façons de faire. Qui l'aurait cru en voyant cet enfant quelques séances auparavant? Physiquement, le changement d'attitude pouvait nous aider à comprendre comment cette nouvelle sensation s'organisait de l'intérieur: d'une attitude très peu tonique, collée sur nous, où les frontières corporelles étaient massivement niées, il est parvenu à prendre une distance plus acceptable, à être mieux dans cet espace médiatisé où un rythme pouvait s'installer. Puis, un jeu sur un cheval suspendu nous a permis de constater que le rythme, par le mouvement et la chan-

*son, avait fait naître chez l'enfant un premier contenant rythmique
(Haag, 1986).*

La complémentarité: de la naissance sensorielle à la naissance psychique

Notre travail clinique nous a amenés à considérer l'intrication existant entre l'approche que nous utilisons (l'approche d'intégration sensorielle) et les premières esquisses marquant la naissance psychique d'enfants atteints d'affections graves du développement telles que l'autisme et la psychose. Nous désirons soulever quelques pistes de réflexion bien modestes, conscient de l'ampleur des questions soulevées.

Beaucoup d'auteurs (Piaget, Winnicott, Mahler, Tustin, Haag, pour ne nommer que ceux-là) ont soutenu certaines hypothèses sur le développement psychique dans les premiers mois et les premières années de vie. Toutefois, peu se sont arrêtés à définir une base d'intervention (ou modèle de pratique) suffisamment élaborée pour guider une intervention qui puisse s'effectuer de façon organisée. Et qui d'ailleurs l'effectuerait? Au-delà de la compréhension clinique présentée par tel ou tel auteur, ne devrait-on pas concevoir une intervention concertée afin d'éviter l'éparpillement des intervenants au sein des équipes multidisciplinaires?

L'approche d'intégration sensorielle en ergothérapie est une action thérapeutique axée sur le corps, visant à ce que l'enfant amorce un investissement (ou réinvestissement) du corps réel et imaginaire. Cette voie n'est-elle pas le sinueux mais essentiel chemin menant à l'émergence des limites corporelles et à l'élaboration de représentations de soi plus structurées, organisées, complètes?

L'intervention a pour but d'amener l'enfant à percevoir l'extérieur de façon plus différenciée. Les sensations vécues viscéralement (sensations de balancement, de tournoiement, par exemple) s'intègrent graduellement et marquent le début de la différenciation moi/non-moi. C'est dans ce mouvement qui va du *«perçu de l'intérieur»* vers le *«perçu de l'extérieur»* que s'enclenche le processus menant à l'individuation. Mahler (1973) a réfléchi sur ce processus d'individuation et, selon la conceptualisation qu'elle en avait à l'époque, elle précise, en parlant de l'ébauche des représentations du moi corporel qui s'installe dans la phase autistique normale vers la phase de symbiose normale, que:

> *Dès ce moment, les représentations du corps faisant partie du moi rudimentaire sont intermédiaires entre les perceptions internes et externes (...). Du point de vue du «schéma corporel», on franchit un palier important du développement par la transition d'un invesissement essentiellement proprio et intéroceptif à un investissement sensori-perceptif de la périphérie (...). Nous savons maintenant que*

cet important déplacement d'investissement constitue un prérequis essentiel à la formation du moi corporel. (p.22).

Par l'action thérapeutique offerte dans un cadre d'activités essentiellement de maternage (activités plaisantes et régressées telles que hamac, crèmes, etc.), n'aidons-nous pas le tout jeune enfant à mentaliser la distance entre intérieur et extérieur en rendant ce passage le moins douloureux possible? En dosant les stimuli offerts à l'enfant, nous stimulons la structuration du moi et dirigeons les sensations pour que s'organise la perception sensorielle. Par le jeu, et dans le mouvement de va-et-vient du *«collé à l'autre»* à l'*«être seul»* un bref moment, cette distance psychique qui est en voie de naître se trouve aussi transposée physiquement.

Parmi les questions qui restent en suspens, retenons celle-ci: y aurait-il, en dehors de la déficience intellectuelle, de l'autisme ou des processus psychotiques, un processus déficitaire qui, malgré une intervention multi-disciplinaire soutenue, empêcherait l'intégration des messages intéroceptifs ou extéroceptifs et, par le fait même, la différenciation soi/non-soi chez certains enfants?

Rappelons en terminant que nous nous sommes particulièrement attardés à décrire l'approche utilisée auprès d'enfants très malades, ayant consciemment mis de côté l'intervention auprès d'enfants dont les structures psychiques sont plus développées. L'approche d'intégration sensorielle avec des enfants peu ou pas en contact avec leur corps s'insère bien dans le processus de traitement de jeunes enfants en pédopsychiatrie. L'intervention auprès d'enfants autistes et psychotiques doit inclure un travail sur le corps, qu'il soit réel ou imaginaire, et l'ergothérapie s'y consacre tout autant avec une vision biologique que psychologique. Enfin, pour cette clientèle, la notion de jeu implique beaucoup plus que le simple contact d'un enfant avec un jouet. C'est l'aboutissement d'un long et difficile processus d'intégration qui rend cette interaction porteuse de sens et de plaisir. Peut-on encore croire, dans un tel contexte, que jouer soit un jeu d'enfant ?❖

The author describes a small group occupational therapy intervention at the centre de jour de pédopsychiatrie du pavillon Albert-Prévost de l'Hôpital du Sacré-Coeur de Montréal with preschool children presenting various pathologies including severe developmental delays. Concepts regarding the intervention setting, the theoretical foundations of sensory integration, as well as the principles underlying the intervention are expounded. Finally, the author elaborates on a few ideas regarding the complementarity between the sensory integration approach and the psychodynamic approach.

Note

1 Selon Hopkins et Tiffany (1988), l'analyse d'activité incluerait les dimensions suivantes: les habiletés adaptatives requises, le niveau d'habileté requis pour effectuer l'activité à un niveau minimal, la possibilité de graduer l'activité en termes de niveaux d'habiletés, de temps requis et de nombre d'essais, la flexibilité en termes d'espace et d'équipements, les implications culturelles, la pertinence selon l'âge, les considérations de sécurité et les coûts.

Références

Ayres AJ. Tactile functions: their relation to hyperactive and perceptual motor behavior. **Am J Occup Ther** 1964;18:83-95.

Ayres AJ. Patterns of perceptual-motor dysfunction in children: a factor analytic study. **Percept Mot Skills** 1965;20:335-368.

Ayres AJ. **Sensory integration and learning disorders**. Los Angeles: Western Psychological Services, 1972.

Ayres AJ. **Sensory integration and the child**. Los Angeles: Western Psychological Services, 1979.

Ayres AJ. **Southern California Sensory Integration Test Manual**. (revised 1980). Los Angeles: Western Psychological Services, 1980.

Ayres AJ. **Sensory Integration and Praxis Test**. Los Angeles: Western Psychological Services, 1989.

Fisher AG, Bundy AC. The interpretation process. In: Fisher AG, Murray EA, Bundy AC, Eds. **Sensory integration: theory and practice**. Philadelphia: F.A. Davis, 1991:234-250.

Fréchette H. L'intégration sensorielle aux habiletés sociales: une nouvelle approche ergothérapique de l'hyperactivité. **P.R.I.S.M.E.** 1992;3(2):275-284.

Haag G. Hypothèse sur la structure rythmique du premier contenant. In: Gruppo. no 2. **Familles en péril: nouvelles recherches et applications en thérapie familiale psychanalytique**. Paris: Ed. Clancier-Guénaud, 1986.

Haag G. De l'autisme à la schizophrénie chez l'enfant. **Rev Freudienne** 1985;15(35/36):47-65.

Hopkins HL, Tiffany EG. Occupational therapy - base in activity. In: Hopkins HL, Smith HD, Eds. **Willard and Spackman's Occupational therapy**. 7th ed. Philadelphia: Lippincott, 1988:93-101.

Intercom. **L'inauguration du Centre de jour en pédopsychiatrie**. Montréal: Service de l'information de l'Hôpital du Sacré-Coeur, nov. 1984:24.

Kielhofner G. Ed. **The model of human occupation: theory and application**. Baltimore: Williams & Wilkins, 1985.

Mahler MS. **Psychose infantile, symbiose humaine et individuation**. Paris: Petite bibliothèque Payot, 1973.

Montagu A. **Touching: the human signifiance of the skin**. New York: Harper & Row, 1978.

Royeen CB, Lane SJ. Tactile processing and sensory defensiveness. In: Fisher AG, Murray EA, Bundy AC. Eds. **Sensory integration: theory and practice**. Philadelphia: F.A. Davis, 1991:108-136.

Santé et Bien-être social Canada. **Lignes directrices régissant l'intervention en ergothérapie axée sur le client**. Ottawa: Ministère des Approvisionnements et Services Canada, juin 1986.

Silberzahn M. Integration in sensorimotor therapy. In: Hopkins HL, Smith HD, Eds. **Willard and Spackman's Occupational therapy**. 7th ed. Philadelphia: Lippincott, 1988:127-142.

St-Jean M, Desrosiers L. Psychoanalytic considerations regarding the occupational therapy setting for the treatment of the psychotic patient. [Le traitement du patient psychotique en ergothérapie: réflexion psychanalytique sur le cadre]. **Occup Ther Mental Health** 1993;12(2).

P.R.I.S.M.E. automne 1994, vol. 4, no 4

Comme un mot dans une phrase...

L'orthophonie en hôpital de jour: une expérience

Katja SEILER
Michèle MORENCY

Mme Seiler travaille actuellement comme orthophoniste à l'hôpital Rivière-des-Prairies dans deux hôpitaux de jour et une clinique externe. En plus d'une formation en orthophonie au Centre universitaire de la Salpêtrière (Paris), elle a suivi au Centre Alfred Binet des formations en linguistique, orthophonie, psychanalyse et orthophonie.

L e milieu est à l'orthophoniste ce que le morphème est au verbe; il teinte le sens sans en perdre l'essence. Aborder les variations de ce milieu à travers un rapide historique, permettra de mieux saisir la couleur de notre pratique actuelle. Le programme des soins en hôpital de jour comprend trois groupes autonomes situés dans différents quartiers desservis par l'Hôpital Rivière-des-Prairies. Chacun de ces groupes reçoit de 8 à 10 enfants âgés généralement de 2 à 6 ans. Il y a possibilité d'accueillir ces enfants cinq jours par semaine, à temps plein majoritairement, ou à temps partiel lorsque la fréquentation de la garderie ou de l'école est aussi indiquée. Chaque hôpital de jour est constitué d'une équipe multidisciplinaire similaire, comprenant les quatre intervenants ayant la charge quotidienne des enfants, le psychiatre, la psychologue, la travailleuse sociale, l'orthophoniste, l'ergothérapeute et l'éducateur physique. Une requête peut être adressée à la musicothérapeute et/ou à la physiothérapeute suivant les besoins.

Si l'implication de l'orthophoniste au sein de l'équipe et de la milieu-thérapie est encore en évolution, elle s'est déjà significativement modifiée à travers les ans.

Initialement, les hôpitaux de jour, alors appelés centres de jour, faisaient partie des services à l'interne. C'est au début des années 80 qu'ils ont constitué des groupes distincts de ces services. A cette époque, aucune orthophoniste n'était spécifi-

Cet article expose le contexte d'intervention et l'évolution de l'orthophonie en hôpital de jour à travers un cas particulier. En resituant le trouble de langage et de communication dans un tableau psychiatrique, les auteures sont amenées à évoquer des processus affectifs et cognitifs dont le langage est à la fois produit et producteur. Elles précisent ensuite la fonction spécifique de l'orthophoniste au sein de l'équipe multidisciplinaire pour finalement décrire ses différentes modalités d'intervention auprès de l'enfant et des parents ainsi que sa collaboration avec les intervenants.

Mme Morency travaille actuellement comme orthophoniste à l'hôpital Rivière-des-Prairies dans un hôpital de jour et deux cliniques externes. Elle a obtenu une maîtrise en orthophonie à l'Université de Montréal. Madame Morency a donné des conférences ayant pour thème la corrélation entre les troubles de la communication et du langage et les troubles psychiatriques chez les enfants. Elle est aussi coauteure d'une revue de littérature concernant ce même sujet ainsi que d'un article sur le travail en hôpital de jour.

quement assignée aux centres de jour. Les requêtes de services dépendaient alors largement de la perception de l'orthophonie par le médecin traitant. L'intervention de l'orthophoniste était limitée à des évaluations et à des thérapies individuelles dispensées dans un local en dehors du centre de jour. L'orthophoniste travaillait dans des conditions qui l'isolaient du vécu des enfants et du travail en concertation avec les autres intervenants.

C'est à l'automne 86 que les hôpitaux de jour sont devenus un programme spécifique de soins. Une orthophoniste a alors été désignée par son service administratif pour y travailler. Elle intervenait toujours à titre de consultante. Elle n'assistait qu'aux discussions des cas dont elle avait déjà la charge. Bien que les thérapies individuelles aient été possibles, l'intervention en sous-groupes ou ateliers était privilégiée et l'orthophoniste devenait animatrice ou personne-ressource auprès des intervenants pour les ateliers visant le développement de moyens de communication. Le parrainage des enfants par un intervenant permettait, dans ce contexte, une continuité et une stabilité dans la thérapie.

Comme la communication et le langage de la majorité des enfants des hôpitaux de jour devaient à un moment ou l'autre être évalués, l'absence de l'orthophoniste à la plupart des discussions de cas et aux réunions d'équipe s'est rapidement avérée problématique. En effet, l'or-

459

thophoniste ne disposait pas des données importantes concernant la dynamique et le vécu des enfants qui pouvaient l'aider à mener une évaluation complète et mieux éclairée de même qu'à faire des recommandations articulées à l'ensemble du plan de soin. Ainsi, après quelque temps de ce fonctionnement, la nécessité que l'orthophoniste fasse partie de l'équipe s'est-elle imposée d'elle-même.

L'intégration de l'orthophoniste dans l'équipe soignante s'est étendue graduellement dans les trois groupes, à un moment qui a correspondu au début de la sortie des hôpitaux de jour dans la communauté, à l'hiver 1988.

Même si l'évaluation de tous les nouveaux cas admis et la participation active aux discussions de cas et aux plans de soins faisaient partie de sa tâche, l'orthophoniste était toutefois gardée à l'écart des moments de vie. Il n'en est plus de même aujourd'hui. En effet, depuis presque quatre ans, deux orthophonistes desservent les hôpitaux de jour et sont assignées à des groupes différents. L'éloignement des points de service a fait en sorte que les orthophonistes viennent y travailler par blocs de temps, ce qui permet une implication beaucoup plus réelle dans le milieu.

Implication dans le milieu

En 1988, lors d'une présentation faite par les responsables cliniques des hôpitaux de jour, il a été spécifié que *«l'ensemble du travail... se réfère à un cadre de compréhension psychanalytique avec l'élaboration de principes cliniques pouvant s'adapter au milieu institutionnel dans lequel s'articule l'hôpital de jour».* Dans ce contexte, l'orthophoniste interviendra en s'appuyant sur sa formation spécifique tout en se référant à cette compréhension psychanalytique qui lui permettra une certaine lecture de la dynamique de l'enfant, dynamique dans laquelle la communication, le langage et bien sûr leurs troubles prennent sens.

Les enfants qui fréquentent les hôpitaux de jour n'y sont pas référés pour des troubles de langage; pourtant rares sont ceux dont le langage s'est développé d'une manière comparable à celle des enfants de leur âge. Ces troubles ne peuvent être entendus comme de simples défauts dans la maîtrise d'un instrument mais prennent place dans un tableau pathologique plus large. Il est donc ici, plus encore qu'ailleurs, nécessaire que l'orthophoniste ait un regard global sur l'enfant afin d'entrevoir la place de ce trouble dans le fonctionnement mental et psychoaffectif de celui-ci. De même, en aidant l'enfant à entrer dans le monde de la symbolisation et de la communication, l'orthophoniste tiendra compte de la restructuration psychique à laquelle l'enfant devra se livrer pour trouver un nouvel équilibre personnel et familial.

Orthophonistes oeuvrant auprès d'enfants qui n'ont souvent pas de langage ou encore un langage non arrimé au code commun, investi comme un objet, sans conscience de soi et de l'autre *(«... la langue fonctionne pour elle-même, à la limite sans émetteur et sans destinataire»* (Anzieu, 1981)), nous sommes amenées à travailler sur la communication au sens large, et sur l'émergence puis l'épanouissement du langage. Pour accéder à la symbolisation, l'enfant devra renoncer à son sentiment de toute-puissance, être capable d'un certain délai dans la satisfaction du désir afin que s'instaure l'aire transitionnelle dans laquelle la représentation peut remplacer l'objet. Pour communiquer, pour que le langage puisse être ce pont reliant deux individus, il doit avoir conscience d'un soi différent de l'autre. Pour utiliser le code commun qu'est le langage, il lui faut être capable de reconnaître et d'intégrer la loi imposée par l'extérieur. Parallèlement, ses capacités mentales seront elles aussi requises pour lui permettre d'accéder à la représentation, l'abstraction, la généralisation, la conceptualisation, fonctions troublées chez beaucoup des enfants soignés en hôpitaux de jour. Précisons que cette brève présentation de ce qui pourrait être assimilé à des prérequis à l'acquisition du langage peut donner une impression de linéarité qui ne rend pas compte de la dynamique entre ces fonctions supposées prérequises et le langage, celui-ci étant à la fois produit et producteur de celles-là.

Si les intervenants et les professionnels travaillent aussi à l'élaboration et la consolidation de ces *«prérequis»*, l'intervention de l'orthophoniste se singularise par le fait qu'elle canalise toutes ses composantes vers un objectif spécifique: aider l'enfant à s'approprier et recréer le langage tant dans ses fonctions (support de la relation, organisateur psychique, objet de connaissance) que dans sa forme, qu'il s'agisse de langage verbal (maîtrise de l'articulation, du lexique, de la syntaxe) ou non verbal (langue des signes, tableaux de communication). A la lumière de sa formation et de sa fonction spécifiques, l'orthophoniste, au même titre que chacun des membres de l'équipe, partagera au cours de discussions de cas, de réunions d'équipe, de discussions informelles, de situations, sa vision de l'enfant dans le constant souci de faire des liens, de trouver un sens au fonctionnement de ces enfants qui, précisément, souffrent de morcellement, d'absence de liens, de sens troublé.

Avantages du travail en hôpital de jour

L'hôpital de jour est une structure privilégiée pour un travail sur la communication et le langage. La prise en charge en orthophonie n'est plus confinée à la situation artificielle d'une thérapie dans un bureau mais peut aussi prendre une forme plus «naturelle» dans un milieu de vie. Le rôle de «catalyseur» de l'orthophoniste prend ici tout son sens: par son intervention, elle tente de provoquer chez l'enfant une ouverture au langage, ouverture qui lui permettra de profiter du bain d'échanges verbaux et non verbaux que peut lui offrir la milieu-thérapie.

L'enfant qui arrive à l'hôpital de jour se trouve sous observation pour quelques semaines. Durant cette période, il est systématiquement évalué par intervenants et professionnels. L'orthophoniste s'attachera à repérer son niveau et sa qualité de communication. Elle étudiera conjointement ses performances, mais aussi son potentiel verbal, évaluera les notions prérequises nécessaires à l'élaboration du langage, et elle se livrera à une première analyse des troubles de l'enfant, permettant ainsi l'amorce d'un diagnostic. Grâce à la structure des hôpitaux de jour, cette évaluation peut prendre une forme multisituationnelle (situation de groupe, individuelle, en activités dirigées, activités libres, en situation relationnelle avec un pair, un adulte, etc.) permettant ainsi une analyse plus complète. Enfin, c'est lors de la discussion de cas, quand chacun aura fait part de ses observations et de ses réflexions qu'une analyse plus globale du fonctionnement et de la dynamique de l'enfant pourra prendre forme, analyse servant de source à l'élaboration en commun du plan de soin. C'est aussi à ce moment que se discutera l'éventuelle pertinence d'une prise en charge en orthophonie ainsi que ses modalités et ses objectifs.

Modalités et objectifs

Ces modalités sont diverses, tributaires des besoins de l'enfant, de la personnalité de l'orthophoniste et des aménagements possibles, compte tenu de la milieu-thérapie. Elles peuvent prendre la forme de thérapies individuelles, tenues à un rythme régulier dans un lieu spécifique, identifié comme tel. Parfois on recommande que l'enfant soit accompagné dans sa thérapie par un intervenant, pour des raisons cliniques telles que l'importance d'un tiers ou la poursuite d'un travail spécifique en dehors de la thérapie. D'autre part, du fait de la situation en individuel et de l'intervention ciblée de l'orthophoniste, visant à favoriser la communication, à enrichir et actualiser le potentiel linguistique de l'enfant, il s'est déjà avéré indiqué qu'un intervenant assiste à quelques thérapies d'un enfant afin d'améliorer sa compréhension du fonctionnement de celui-ci. La prise en charge en groupe peut être préconisée en regard de la nature même du groupe (ex: groupes travaillant sur l'émergence symbolique, sur le récit, etc.) ainsi qu'en regard du fonctionnement de l'enfant (ex: enfant pour qui la relation individuelle est phobogène, enfant pouvant profiter de modèles choisis parmi ses pairs, etc.). Ces groupes pourront être élaborés et animés conjointement avec un autre professionnel, avec ou sans la participation d'un intervenant.

Une autre modalité d'intervention possible, spécifique à l'hôpital de jour est parfois recommandée. Il s'agit de l'intervention en milieu-thérapie. Celle-ci peut se faire de manière formelle, l'orthophoniste venant rencontrer un enfant en particulier dans son groupe de vie. Si le cadre de la thérapie n'est alors plus représenté dans l'espace, il n'en reste pas moins signifié dans le temps. Des repères de début et de fin de thérapie sont donnés à l'enfant qui est averti que l'orthophoniste est alors là pour lui, pour une période déterminée et dans le but ultime de l'aider à s'exprimer. Cette forme de prise en charge, le plus souvent transitoire, peut s'adresser à des enfants présentant le même profil que ceux pour qui on recommandait plus haut une prise en charge en groupe, mais aussi à des enfants vivant dans une sorte d'osmose avec leur groupe. L'orthophoniste par son intervention introduit une certaine rupture; l'enfant se distingue du groupe sans en sortir. C'est dans cette amorce de distance que peut prendre place le langage. Paradoxalement, cette forme d'intervention porte aussi en elle la notion de continuité, de lien entre la prise en charge en orthophonie et la milieu-thérapie.

L'orthophoniste peut aussi participer à la milieu-thérapie d'une manière plus informelle lors d'activités du groupe, de repas, de sorties, d'activités libres. La présence de l'orthophoniste amène là encore une idée de continuité pour l'enfant. Elle n'est plus dans ce cas la garante du cadre thérapeutique, fonction qui revient à l'intervenant. Elle n'intervient pas forcément, mais observe, accueille l'enfant qui vient à elle, soutenant son expression tout en respectant le rythme, la loi du groupe ainsi que les rôles de chacun. C'est souvent lors de ces situations où l'orthophoniste n'est plus définie par son cadre spatial (la salle de thérapie) ou temporel (heure de la thérapie) qu'elle peut repréciser aux yeux de tous sa fonction, en en parlant mais aussi en l'agissant (ex: en renvoyant vers l'intervenant l'enfant qui fait une demande le concernant), d'où l'amorce pour certains enfants d'un processus de différenciation. Cette participation de l'orthophoniste représente par ailleurs un temps précieux permettant de poser conjointement avec les éducateurs des regards différents sur le même enfant dans la même situation. Malgré les possibilités intéressantes de ce genre de participation, elle n'en reste pas moins délicate, nécessitant de fréquents ajustements, et ne peut se faire que dans un grand respect mutuel, qualité *sine qua non* au bon fonctionnement d'un hôpital de jour.

Le travail avec les intervenants

L'orthophoniste peut être approchée en tant que personne-ressource auprès des intervenants, et ceci dans le cas de projets précis, par ex: créations d'ateliers visant plus spécifiquement un travail portant sur la communication, le langage, le développement cognitif, mise en place de supports à la communication, etc.. Elle pourra alors être simplement consultée ou participer à l'élaboration et à la supervision de ces projets qui seront mis en oeuvre par les intervenants.

Le travail avec les parents

De par sa structure, l'hôpital de jour est pour l'orthophoniste un lieu privilégié en ce qui concerne l'intervention auprès de l'enfant, mais des difficultés se dressent quand il s'agit d'envisager un travail avec les parents. Nous ne parlons pas ici de difficultés inhérentes aux résistances des parents ou à la pathologie des enfants, mais de celles émanant de la structure même des hôpitaux de jour. Sans nier les avantages certains du transport par autobus dont bénéficient les enfants, force est de reconnaître que, de ce fait, le contact avec les parents est beaucoup plus rare et moins spontané. Dans un légitime souci de ne pas multiplier les interlocuteurs, un travail suivi de l'orthophoniste avec les parents est rarement jugé prioritaire ou même envisageable. Cependant, une première rencontre avec les parents d'un enfant dont nous commençons la prise en charge nous apparaît incontournable pour de multiples raisons, dont celle du «cautionnement» donné par le parent en ce qui concerne nos rencontres avec son enfant n'est pas la moindre. Il arrive que nous revoyons ensuite les parents à leur demande ou à la nôtre. Parler du trouble du langage et de la communication de leur enfant est généralement très éprouvant pour ces parents, surtout si celui-ci ne représente qu'un des aspects d'un tableau pathologique plus global. Ce sont le plus souvent des troubles difficiles à nier du fait de leur évidence et trop liés à la relation pour être anodins. De ce fait, il nous paraît important qu'une personne assurant le suivi de ces parents (en l'occurrence, la travailleuse sociale) soit présente lors de ces rencontres.

En conclusion, l'orthophoniste en hôpital de jour est à l'image du langage, dans le paradoxe de la discontinuité et de la continuité. Intervenante ayant une fonction spécifique, tantôt absente, tantôt présente, elle marque l'opposition, la différenciation. Par son appartenance à l'équipe, sa participation à la vie du groupe, elle marque le lien, la permanence.

L'orthophonie dans un hôpital de jour est ... comme un mot dans une phrase, à la fois différente et complémentaire. Pertinente par elle-même, elle se nuance au contact des autres disciplines qui prennent un peu de sa couleur pour former un tout unique dans lequel chaque partie contribue au sens. ❖

This article illustrates the evolution of speech-language pathology services in a day care center through a particular case history. By resituating the specific language and communication disorder found in psychiatry, the authors evoke some cognitive and affective processes of which language is both a product and a contributor. They then indicate the specific functions of the speech-language pathologist within the multidisciplinary team. Finally they describe their many methods of intervention with the child, with the care-givers and with the family.

Références

Anzieu D. Pour une psycholinguistique psychanalytique. In: **Psychanalyse et language.** (Inconscient et culture; 6) Paris: Dunod, 1981.

Dedonder N, De Villiers M. Approche logopédique de l'enfant psychotique, inspirée par la théorie psychanalytique. **Questions Logopédie** 1984;4.

Tustin F. **Les états autistiques chez l'enfant.** Paris: Ed. du Seuil, 1986.

Winnicott DW. **Jeu et réalité: l'espace potentiel.** Paris: Gallimard, 1975.

«Avec les amis, j'apprends à me faire des amis.» Gabrielle

M.L., 1994

Recherche longitudinale auprès d'enfants extrêmement prématurés revus à l'âge de 5 ans 9 mois à l'hôpital Sainte-Justine

Dans cette recherche auprès d'enfants de 5 ans 9 mois appartenant à l'étude longitudinale du Dr Francine Lefebvre, néonatalogiste à l'hôpital Sainte-Justine, les docteurs Yvon Gauthier et Suzanne Lépine, pédopsychiatres, se sont intéressés tout particulièrement à l'effet sur la relation parent-enfant du contexte souvent dramatique d'une naissance prématurée.

La nécessité de traiter ces enfants (nés entre 24 et 28 semaines de gestation) aux soins intensifs de néonatalogie oblige les parents à engager les premiers contacts avec leur enfant dans un environnement de haute technologie pédiatrique. La séparation parent-enfant est prolongée et le retour de l'enfant au domicile familial se réalise tardivement.

En cours d'hospitalisation, plusieurs de ces enfants ont connu des épisodes de troubles neurologiques, cardiaques ou pulmonaires, et certains d'entre eux requièrent, lors de leur congé de l'hôpital, que des soins soient poursuivis à domicile par leurs parents.

En général, un suivi médical régulier est proposé aux parents mais plusieurs d'entre eux ont aussi besoin d'être rassurés et guidés tout au cours du développement de leur enfant puisque celui-ci présente un profil et des particularités qui tiennent à sa naissance prématurée. Des réévaluations périodiques des acquis développementaux permettent d'identifier les enfants qui doivent recevoir des services de rééducation, tels que physiothérapie, ergothérapie et orthophonie.

L'entrevue clinique développée par ces deux psychiatres dans le cadre de cette recherche longitudinale se situe dans un contexte d'évaluation multidisciplinaire impliquant divers bilans: auditif, ophtalmologique, psychologique, neuropédiatrique et neurophysiologique. Le cadre théorique de référence qui a guidé le choix des instruments d'évaluation clinique est celui de la théorie de l'attachement développée par John Bowlby et Mary Ainsworth, dont les travaux ont inspiré plusieurs centres nord-américains de recherche et de clinique de psychologie développementale et de pédopsychiatrie depuis les années 80.

L'entrevue se déroule en deux temps. On débute la rencontre avec un questionnaire semi-structuré qui vise à favoriser l'évocation par le parent de souvenirs liés à ses expériences affectives lors de la naissance et des étapes développementales ultérieures de son enfant, jusqu'à l'entrée de ce dernier en maternelle. On cherche à mettre en évidence les perceptions des parents quant à leur propre anxiété et à leurs dispositions face au développement de l'autonomie chez leur enfant. On explore aussi les perceptions parentales par rapport aux angoisses qui peuvent se manifester chez l'enfant, tout particulièrement dans les situations impliquant l'éloignement et la séparation de ce dernier d'avec le parent. Cet entretien se déroule en présence de l'enfant à qui on a offert du matériel pour dessiner.

Une grille de cotation permet d'évaluer selon les échelles d'anxiété et d'autonomie les réponses parentales. On observe, décrit et code deux moments d'interaction entre parents et enfant qui présentent un intérêt particulier, soit celui du récit par le parent de la naissance de l'enfant, et celui où le parent quitte la salle et laisse l'enfant seul en présence de l'interviewer.

Lors de cette deuxième séquence de la rencontre, l'enfant se voit proposer trois modalités de «jeux». Ces divers protocoles ont été choisis parmi les instruments développés et utilisés par diverses équipes nord-américaines qui travaillent dans le cadre de la théorie de l'attachement. Chacun de ces protocoles utilise un matériel spécifique, présenté de façon standardisée et permettant une cotation des réponses et des productions verbales ou non verbales des enfants à partir de grilles validées pour leur contenu, leur stabilité test-retest et leur fiabilité interjuges.

Dans le premier «jeu», on demande à l'enfant de répondre, à l'aide d'une marionnette qu'il anime lui-même, à 20 questions qui cherchent à apprécier l'estime de soi de l'enfant (J. Cassidy, 1988).

Le second «jeu», qui utilise des personnages d'une famille, consiste à demander à l'enfant de compléter des récits ou «narratifs» présentés successivement par l'interviewer. Ces narratifs proposent à l'enfant des «mises en situation» où les divers personnages d'une famille, incluant celui représentant l'enfant, se retrouvent devant un conflit. Les conflits portent sur des thèmes impliquant soit la transgression par l'enfant de règles de conduite, soit des enjeux affectifs (agression, peur, menaces réelles ou imaginaires) qui engagent directement l'enfant dans un échange avec des protagonistes de sa vie relationnelle. Les récits élaborés ensuite par les enfants à partir de ces situations mettent en évidence les thèmes affectifs introduits par l'enfant, ses représentations de lui-même et de ses figures d'attachement et ses représentations des modalités de résolution de ces divers conflits. (MacAthur Narratives from the MacArthur Working Group on Attachment, R.D. Emde, 1984).

Finalement, à l'aide de 6 photos illustrant des situations de séparation qui se produisent dans la vie quotidienne d'un enfant de cet âge et qui peuvent provoquer des angoisses de séparation d'intensité variant de légère à sévère, on demande à l'enfant d'identifier pour «l'enfant de la photo»,

puis pour lui-même, les sentiments éprouvés, leurs motivations et les réponses d'adaptation qu'ils vont respectivement présenter. (N. Slough, M.T. Greenberg, 1988).

Ces instruments ont été choisis en raison de leur capacité de révéler les représentations mentales («working models of attachment») correspondant aux conduites d'attachement d'enfants de 5 ans 9 mois, telles que caractérisées lors de la «situation d'étrangeté». La «situation étrange», généralement administrée à 12 et 18 mois, a été développée par Mary Ainsworth et permet de déterminer les catégories d'attachement définies selon quatre types principaux: attachement sécure (B), attachement insécure-évitant (A), attachement insécure-résistant (C) et attachement désorganisé/désorienté (D). Ces patterns (working models of attachment), élaborés depuis la naissance à partir des expériences relationnelles vécues par l'enfant avec les figures d'attachement qui lui procurent sécurité, protection et confiance de base, caractérisent les «représentations de soi» et les «représentations du partenaire relationnel premier» de l'enfant.

Ces représentations mentales assurent à l'enfant la base de sécurité à partir de laquelle il peut explorer le monde. Au-delà de l'influence que ces patterns peuvent avoir sur le mode de relation établi entre l'enfant et son parent, il a été démontré que diverses dimensions de la personnalité des enfants, leurs capacités d'interaction sociale avec les pairs et leurs habiletés d'adaptation en milieu scolaire correspondaient de façon significative à l'une ou l'autre de ces catégories d'attachement.

La présente recherche a débuté en novembre 1992, et 74 enfants et leurs parents ont été jusqu'à présent rencontrés; ce groupe est constitué de 40 prématurés et de 34 enfants nés à terme. Ont participé à ce volet de l'étude sous la direction des docteurs Lépine et Gauthier, les docteurs J. Martel et N. Cérat, résidentes en psychiatrie en stage à Sainte-Justine, Mde C. Pilon, infirmière psychiatrique spécialisée de Sainte-Justine, Mlle J. Legault, étudiante en psychologie à l'UQAM et stagiaire de recherche, Dr. A. Wintgens, pédopsychiatre de l'Université catholique de Louvain, en stage de recherche au département de psychiatrie de Sainte-Justine. Ont agi à titre de consultants les Docteurs J.F. Saucier, et P. Robaey, du département de psychiatrie du même hôpital.

Jean-François SAUCIER

CHRONIQUE DE LA VIDÉO

1993 Les hôpitaux de jour en psychiatrie pour les enfants d'âge préscolaire

Auteurs: Hélène Novak-Lamirande et Terry Zaloum
Réalisateur: Richard Martin
Producteurs: Le CECOM en collaboration avec les centres de jour de l'hôpital Rivière-des-Prairies, la maternelle thérapeutique des soins de jour de l'hôpital Ste-Justine et le centre de jour de pédopsychiatrie du Pavillon Albert-Prévost de l'hôpital du Sacré-Coeur de Montréal.

Série de trois documents vidéo produits pour nous familiariser à«l'hôpital de jour». Cette forme de thérapie permet une prise en charge globale de l'enfant, maximise l'implication des parents et favorise le maintien de l'enfant dans la communauté.

1ère partie: **Les parents**
40 minutes, 1993.

On présente l'histoire de trois familles dont un enfant a été suivi à l'hôpital de jour. Les parents racontent les motifs de la consultation, la démarche qu'ils ont suivie et l'aide qu'ils ont reçue. Ils nous font partager leurs espoirs et leurs inquiétudes.

2e partie: **Traitement global en milieu thérapeutique**
30 minutes, 1993.

A l'aide d'entrevues faites auprès du personne clinique, illustrées d'exemples d'intervention avec les enfants, on présente les diverses facettes du travail en hôpital de jour: l'évaluation, les principes généraux de la thérapie de milieu, l'organisation du milieu de vie, l'équipe au cours du traitement, le partenariat avec la famille, l'intégration à l'école...

3e partie: **Maryse**
18 minutes, 1993

Maryse a été référée à l'hôpital de jour pour un trouble global du développement. Après 9 mois de traitement elle va mieux: nous la suivons dans ses diverses activités au centre de jour, depuis son arrivée, le matin, jusqu'à son départ en fin d'après-midi.

Céline BARBEAU
CECOM

Distribution: CECOM, Hôpital Rivière-des-Prairies, tél.: (514) 328-3503.

Retards et troubles de l'intelligence de l'enfant. Roger Misès, Roger Perron, Roger Salbreux. Paris, ESF Editeur, Collection La vie de l'enfant, 1994, 301 pages.

Au Québec, comme ailleurs sans doute, la déficience mentale a plutôt été négligée par la psychiatrie et encore davantage par la psychanalyse. Longtemps relégué au champ de l'incurable, aujourd'hui massivement récupéré par l'idéologie souvent réductrice et aliénante de la réadaptation «normalisante», l'individu présentant un retard ou un trouble de l'intelligence semble s'être souvent vu refuser un statut de sujet, porteur d'une histoire propre, et animé d'un psychisme. Le discours prônant le «droit à une vie normale», si populaire aujourd'hui dans le monde de la réadaptation, semble parfois servir d'écran à la reconnaissance chez le déficient intellectuel d'une personnalité et d'une vie intérieure.

Ce nouveau livre proposé par ESF Editeur nous permet d'élargir nos perspectives dans ce domaine. Roger Misès, psychiatre et psychanalyste bien connu en Europe et chez nous pour ses contributions à la psychopathologie de l'enfant[1], nous offre ici avec ses collègues, Roger Perron et Roger Salbreux, le résultat de nombreuses années de travail auprès d'enfants présentant des troubles ou des retards de l'intelligence. D'emblée, les auteurs s'attaquent aux positions réductionistes qui, depuis toujours, ont marqué l'approche du problème: réductionismes organo-génétique, sociologisant, psycho-génétique. Pour eux, tous trois aboutissent au même résultat: éliminer dans l'approche clinique le sujet, son fonctionnement psychique, ses conflits et sa dynamique propre.

Les auteurs plaident en faveur d'une conception permettant pour chacun des enfants atteints d'un trouble intellectuel la prise en compte des facteurs d'ordre organique, sociologique, familial et psychodynamique. Dans cette optique, tout état déficitaire est considéré comme une structure, historiquement construite autour de facteurs ne pouvant être clivés les uns des autres parce qu'étant en constante interaction. C'est donc dire que leur approche se veut nécessairement multidisciplinaire et oblige à un travail d'équipe.

Ce livre se présente comme un traité complet, faisant le tour de la question et ne privilégiant aucune théorie ou approche particulière. Il consacre plutôt à chacune d'entre elles un examen attentif et critique. Sont ainsi analysées rigoureusement les dimensions historiques, sociologiques et épidémiologiques, les conceptions traditionnelles, les études psychodynamiques, les cadres étiologico-cliniques. Des chapitres sont également consacrés au problème du dépistage précoce, aux interventions auprès de l'enfant et de son entourage et enfin aux perspectives d'avenir pour la clinique et la recherche.

Un si large éventail de domaines touchés par cet ouvrage peut certes refroidir l'enthousiasme du lecteur, puisqu'il exige de celui-ci un intérêt pour des champs théoriques, scientifiques et cliniques parfois fort éloignés les uns des autres. Mais c'est là le pari des auteurs: tenter de rassembler les données offertes par les chercheurs et les cliniciens pour en arriver à une intégration de la connaissance qui, seule, pourra rendre à l'enfant atteint d'un retard ou d'un trouble de l'intelligence, dans le regard de celui qui s'en occupe, son statut de sujet, complexe, riche et unique. L'ouvrage de Misès, Perron et Salbreux risque en ce sens de devenir incontournable pour tous ceux qui souhaitent se consacrer à l'étude ou au traitement des troubles intellectuels chez l'enfant.

Réal LAPERRIERE
psychologue

suite page 473

Normand CARREY, Sheik HOSENBOCUS
psychiatres

Les anxiolytiques en pédopsychiatrie

Les symptômes d'anxiété peuvent être le résultat de traumatismes ou de stress causés par des stimuli provenant de l'environnement. L'autre catégorie de troubles anxieux tels que les syndromes définis par le DSM-IV (anxiété de séparation, hyperanxiété et phobie sociale) résulte de facteurs biogénétiques. Il est important de distinguer entre symptômes et syndromes d'anxiété, ces derniers étant caractérisés surtout par une histoire familiale de dépression ou d'anxiété retrouvée chez les parents. Bien que les syndromes puissent avoir des facteurs déclenchants d'ordre psychosocial, leur histoire naturelle est plus ou moins indépendante de l'environnement. Il faut cependant distinguer ici «l'enveloppe psychologique» individuelle ou familiale, réactionnelle à l'anxiété produite au niveau biophysiologique.

Par rapport à la présentation de l'anxiété chez les enfants, les syndromes apparaissent comme un mélange de symptômes de dépression et d'anxiété parfois difficiles à démêler pour le clinicien. Dans une étude portant sur la phobie scolaire faite auprès d'un groupe d'adolescents, Garfinkel et Bernstein (1990) ont trouvé qu'ils démontraient des symptômes de dépression à une plus haute fréquence mais suivis de près par des symptômes d'anxiété. Par exemple, des signes d'inquiétude ou des plaintes somatiques peuvent se retrouver également dans la dépression infantile et les troubles d'anxiété.

Nous avons mis l'emphase dans nos chroniques précédentes sur le fait que le traitement pharmacologique peut être, soit précédé par une thérapie psychologique, soit faire partie d'une approche multimodale, comme c'est le cas dans le traitement de l'anxiété accompagné d'une thérapie cognitive ou d'une thérapie de désensibilisation. Le traitement pharmacologique traditionnel a impliqué surtout les benzodiazépines comme le xanax (alprazolam) ou les anti-dépresseurs tricycliques tels le tofranil (imipramine), (Bernstein, Garfinkel et Borchardt, 1990). L'imipramine est peut-être un peu plus efficace que le xanax mais il comporte en retour plus d'effets secondaires. De son côté, le xanax implique un régime de sevrage qui peut être difficile et qui doit se faire très graduellement. Aucun de ces médicaments n'a cependant été reconnu comme étant plus efficace que le placebo, selon les études faites à double insu avec placebo.

De plus en plus, les inhibiteurs du recaptage de la sérotonine sont utilisés, tels que le prozac (fluoxetine), le luvox (fluvoxamine) et le zoloft (sertraline) dans le traitement des syndromes anxieux. Birmaher (1994) a utilisé la fluoxetine chez un groupe d'enfants portant des diagnostics d'anxiété de séparation, de phobie sociale et de trouble d'hyperanxiété. Il a obtenu des résultats très favorables mais l'étude n'était pas contrôlée.

Récemment, le buspar (buspirone) a été employé dans notre clinique avec des résultats favorables. Cet agent est un agoniste de la sérotonine qui agit sur les récepteurs 5H1A. Le profil d'effets secondaires est très favorable. Son efficacité est semblable au diazépam mais il ne possède pas les effets sédatifs ou de retard cognitif associés à ce dernier. De plus, il ne semble pas entraîner de dépendance ni de potentiel d'abus. Concernant son utilisation chez les enfants, seulement sept études ont été rapportées dans la littérature jusqu'à présent, selon la revue la plus récente faite par Simeon en 1994. Dans les exemples cliniques qui suivent, nous nous limitons à l'utilisation du buspar, un anxiolytique qui présente un profil unique.

Natalie est âgée de dix ans lors de sa première consultation. Elle nous a été référée par une psychologue en pratique privée qui craignait que Natalie ne souffre d'un état dépressif. La psychologue avait déjà eu environ huit rencontres avec Natalie sans obtenir de résultats favorables. Selon les parents, Natalie se plaignait depuis six mois d'insomnie et ils décrivaient chez elle un état d'anxiété de séparation; la fillette faisait des crises de colère, pleurait facilement (sensation de «boule dans la gorge») et avouait qu'elle avait l'idée de se faire mal.

Malgré ses symptômes, sa performance à l'école était adéquate. Le premier symptôme était apparu il y a huit mois alors qu'elle avait pleuré toute la nuit lors d'une visite chez sa tante chez qui elle avait pourtant couché sans problème l'année précédente. Plus récemment, la peur de coucher à l'extérieur de la maison à l'occasion d'un camp de louvette avait provoqué chez la fillette un nouvel épisode d'anxiété. Elle avait peur de s'endormir et exigeait la présence continuelle de ses parents. Une fois revenue à la maison, elle avait peur de se coucher, se réveillait au moindre bruit et demandait de passer la nuit dans la chambre de ses parents. Elle faisait aussi des crises lorsque ses parents voulaient sortir seuls le soir. Ses parents et ses deux soeurs se disaient

épuisés par ces nuits sans sommeil et du fait de l'attention constante qu'exigeait Natalie. La fillette se montrait aussi maussade et pouvait se fâcher sans raison ni réelle provocation. Elle ne souffrait cependant pas de manque d'appétit, et elle maintenait de bonnes relations avec ses amis et son fonctionnement à l'école était bon.

L'histoire développementale indiquait que l'enfant avait éprouvé à l'âge de trois ans une anxiété de séparation qui s'était résorbée assez vite. La mère avait toutefois remarqué que l'enfant était toujours maussade et irritable. Il n'y avait pas eu de problèmes au jardin d'enfants ni au cours de la première et de la deuxième année scolaire. En troisième année, Natalie pleurait facilement et on remarquait chez elle davantage de sautes d'humeur. En quatrième année, elle manifestait plus d'anxiété et suivait constamment sa grande soeur.

On releva dans l'histoire familiale du côté du père qu'un grand-père avait eu un épisode de dépression, qu'une grand-mère avait vécu plusieurs épisodes de dépression, et qu'une tante avait un diagnostic de trouble maniaco-dépressif (première manifestation à l'âge de 15 ans). Le père et une tante avaient souffert d'épuisement psychologique. L'histoire familiale était négative du côté de la mère. La vie de couple et de famille était harmonieuse et les deux soeurs de Natalie étaient bien adaptées.

Une thérapie cognitive fut d'abord tentée dans ce cas. Il y eut une amélioration surtout au niveau du sommeil, qui dura quelques semaines, mais rapidement, Natalie redevint irritable et impatiente, avec des crises de colère. Epuisés, les parents demandèrent un essai de médication. Le buspar fut administré à raison de 5mg b.i.d.. Dès la première semaine, son sommeil s'améliora. Elle était moins maussade et souriait un peu plus. Après trois semaines, le dosage fut élevé à 5mg t.i.d.. La mère remarqua alors que Natalie était plus détendue, qu'elle souriait plus, dormait mieux et qu'elle était moins craintive. Elle pouvait maintenant aller coucher à l'extérieur de la maison sans problèmes.

Après deux mois de cette médication, elle fonctionnait très bien. Au moment des vacances d'été, les parents firent l'essai de retirer la médication. Jusqu'à présent, c'est-à-dire quatre mois plus tard, Natalie va bien mais les parents ont remarqué que son sommeil est redevenu difficile et peut être encore perturbé.

Ce cas démontre les manifestations d'anxiété chez une enfant qui a une longue histoire de tempérament maussade et irritable accompagné de symptômes francs d'anxiété apparus à l'âge de 9 ans au moment où l'enfant va coucher à l'extérieur de la maison. Malgré une histoire familiale de dépression du côté paternel, Natalie semble démontrer des symptômes d'anxiété, du moins à ce point de son évolution. Le buspar a été efficace ici après que deux thérapies cognitives aient échoué.

Le deuxième cas illustre l'utilisation d'une approche multimodale impliquant un traitement pharmacologique accompagné d'une thérapie de désensibilisation.

Elise est une fillette âgée de 9 ans, référée à notre clinique par la travailleuse sociale de son école, en raison d'une anxiété de séparation très sévère. La situation s'est aggravée depuis trois ou quatre mois. Elise s'isole de ses amies et refuse les activités sociales. Elle accepte de fréquenter l'école seulement si sa mère l'accompagne et demeure dans l'édifice toute la journée. La fillette demande d'aller à la toilette, utilisant ce prétexte pour vérifier si sa mère est encore présente. Autrement, elle refuse d'aller à l'école. Elle suit sa mère partout. Elle ne joue plus avec ses amies, ne sort pas de la maison et son insomnie s'est aggravée. Elle fréquente la même école depuis le début de sa scolarité. On ne relève pas dans les antécédents de traumatisme ni de conflit familial.

L'histoire développementale d'Elise révèle une naissance normale. L'enfant a toujours eu peur des ascenseurs et des hommes. Elle garde une vieille couverture qu'elle a toujours à côté d'elle lorsqu'elle se couche. Elle essayait toujours de rester près de sa mère au jardin d'enfants mais cette dernière réussissait à s'échapper. Maintenant qu'elle est plus forte, Elise s'accroche à sa mère pour l'empêcher de partir.

L'histoire familiale, du côté du père, montre que la grand-mère a souffert d'attaques de panique et d'agoraphobie, qu'elle avait peur de quitter la maison et de prendre l'autobus. La soeur du père avait elle aussi des difficultés à sortir de la maison et ce problème a persisté jusqu'à l'âge adulte. Une autre soeur a eu des problèmes émotionnels de nature indéterminée, et le père se décrit pour sa part comme un individu inquiet et souffrant d'insécurité. Du côté maternel, la mère d'Elise a fait une dépression qui fut traitée par le norpramine. Il y a également une histoire d'alcoolisme dans sa famille.

Le plan de traitement initial a consisté en une pharmacothérapie et une thérapie familiale associées à un plan de désensibilisation qui permit le retrait graduel de la mère de l'école. Le buspar fut administré à raison de 5mg deux fois par jour puis augmenté par paliers de 2.5mg jusqu'à la dose de 10mg b.i.d.. Après deux semaines de ce traitement, l'humeur d'Elise s'améliora et les parents remarquèrent qu'elle paraissait plus détendue et qu'elle dormait mieux. Les effets secondaires se limitaient à des nausées et des maux de tête, symptômes qui semblaient coïncider avec l'augmentation du médicament mais qui ne duraient pas plus de deux ou trois jours.

La mère put graduellement se retirer du milieu scolaire. Elle n'était présente qu'au moment des récréations, du dîner et elle accompagnait l'enfant lors du retour à la maison en fin de journée. Même si Elise disait qu'elle voulait surmonter son problème, elle continua tout de même de manipuler ses parents et ces derniers eurent beaucoup besoin d'être supportés et encouragés. Ce n'est qu'au bout de six semaines qu'Elise se montra capable de rester toute la journée à l'école mais elle avait encore besoin que sa mère l'y conduise. Après l'école, Elise avait cependant recommencé de jouer avec ses amis.

Elise a reçu du buspar durant une période de 12 semaines à un dosage de 10mg deux fois par jour. Au moment de l'arrêt de la médication, il n'y a pas eu de syndrome de sevrage ou de régression chez l'enfant. Malgré de réelles améliorations, elle continuait de ressentir de l'inquiétude. Lorsqu'elle fut revue trois mois plus tard, on a pu constater qu'elle maintenait ses acquis. Elle fonctionnait bien à l'école, jouait avec ses amis, dormait bien et paraissait heureuse. Même si elle ne s'aventurait pas loin de la maison, elle était consciente de ses peurs et tentait de les maîtriser.

Ces deux études de cas démontrent que le buspar est un agent efficace et bien toléré par les enfants. Il ne semble pas provoquer de syndrome de sevrage comme celui entraîné par les benzodiazépines. Les effets secondaires retrouvés dans l'étude de Simeon (1994), tels que nausées, maux de tête ou d'estomac et fatigue pendant la journée, sont proportionnels à l'augmentation du dosage mais ils n'ont jamais nécessité l'arrêt de la médication. La posologie thérapeutique se situe entre 5 et 20mg par jour.

En résumé, il semble que l'anxiété chez les enfants peut être raisonnablement traitée avec le buspar ou le prozac, surtout si l'anxiété est chronique et s'il existe des antécédents dans la famille. Il reste à déterminer si le traitement doit être à court ou à long terme, et de quelle façon d'autres thérapies doivent s'ajouter au plan de soin. En somme, le traitement de l'anxiété chez les enfants doit être agressif si l'on veut contrer ses effets néfastes sur le développement cognitif et social de l'enfant.

La prochaine chronique traitera de l'approche pharmacologique des troubles obsessifs-compulsifs.

Le courrier doit être adressé comme suit:
Département de psychiatrie
Hôpital Royal d'Ottawa
1145, ave Carling
Ottawa, Ontario K1Z 7K4

Références
Bernstein G, Garfinkel B, Borchardt C. Comparative studies of pharmacotherapies for school refusal. **Journal of Am. Acad. Ch. and Adol. Psych,** 1990;29:773-781.
Birmaher B. Fluoxetine for childhood anxiety disorders. **J. Am. Acad. Ch. Adol. Psych.,** 1994;33,7:993-999.
Simeon J. Buspirone therapy of mixed anxiety disorders in childhood and adolescence: a pilot study. **J. of Child and Adol. Psychopharm,** 1994;4,3:159-170.

Nous remercions les docteurs J. Simeon et Doreen Wiggins de nous avoir communiqué le dernier cas clinique.

●◆

suite de la page 469

Références

Misès R, Moniot M. Les psychoses de l'enfance. Encyclopédie médico-chirurgicale, Psychiatrie 1979; 37299 M.10.
Misès R. Cinq études de psychopathologie de l'enfant (Domaines de la psychiatrie). Toulouse: Privat, 1981.
Misès R. L'enfant déficient mental: approches dynamiques (Le Fil Rouge). Paris: P.U.F. 1975.
Misès R, Forineau J, Jeammet P, Mazet P, Plantade A, Quemada N. Vers une classification française des troubles mentaux de l'enfant et de l'adolescent. L'information psychiatrique, no spécial, mars 1987; vol. 63: 291-302.

Note
1. Misès R, Barande I. Les états déficitaires dysharmoniques graves. La Psychiatrie de l'enfant 1963; 6:1-78.

CHAMP D'INTÉRÊT ET OBJECTIFS DE LA REVUE

P.R.I.S.M.E. vise la promotion de la théorie, de la recherche et de la pratique clinique en psychiatrie et en santé mentale de l'enfant et de l'adolescent, incluant toutes les disciplines afférentes, par la publication en langue française de textes originaux portant sur le développement et ses troubles, sur la psychopathologie et sur les approches biopsychosociales déployées dans ce champ. L'apport grandissant de nombreuses disciplines connexes aux progrès réalisés en pédopsychiatrie et en psychologie du développement incite la revue à encourager les contributions des membres de ces diverses spécialités.

Chaque numéro comprend un dossier sur un thème d'intérêt regroupant des textes qui cherchent à approfondir divers aspects de la question. Ce dossier est élaboré par l'équipe de rédaction ou par un groupe de professionnels particulièrement intéressés à un sujet donné qui pourra agir à titre d'éditeur invité avec le support technique de l'équipe.

Les textes doivent présenter une qualité autorisant leur publication auprès d'un public constitué principalement d'intervenants, de cliniciens, d'enseignants, d'étudiants universitaires et de chercheurs. Ils pourront prendre l'une ou l'autre des formes suivantes: revue de littérature, présentation de cas, rapport de recherche, essai théorique, synthèse ou rapport de lecture.

Les articles soumis doivent apporter une contribution originale aux connaissances empiriques, à la compréhension théorique du sujet abordé ou au développement de la recherche clinique. Les revues de littérature passeront en revue un important champ d'intérêt en santé mentale de l'enfant et de l'adolescent ou des interventions spécialisées auprès des enfants et de leurs familles. Les présentations de cas couvriront des questions cliniques importantes ou innovatrices sur le plan du diagnostic, du traitement, de la méthodologie ou de l'approche.

Les personnes engagées dans une activité de recherche en psychiatrie de l'enfant, en psychologie du développement et dans des disciplines connexes, sont invitées à communiquer à la revue un aperçu d'une recherche en cours ou récemment achevée. Ces rapports présenteront de façon aussi concise que possible la recherche effectuée incluant la méthodologie et les tests utilisés, l'ensemble des résultats, leur discussion et les références spécifiques au domaine en question.

Par ailleurs, des présentations d'intérêt faites dans le cadre de colloques ou de journées d'études pourront être publiées. De même, les personnes ayant produit un document vidéo portant sur la santé mentale de l'enfant ou les domaines voisins sont invitées à en faire parvenir une brève description. Enfin, le courrier des lecteurs est offert comme tribune à tous ceux qui voudraient réagir à des textes déjà publiés dans la revue ou qui désireraient faire état de questions posées par la pratique dans leur milieu professionnel.

A L'INTENTION DES AUTEURS

Toute personne intéressée à soumettre un texte à la revue est invitée à le faire en tenant compte des règles de présentation suivantes.

Le texte soumis doit être dactylographié à double interligne et sa longueur ne doit pas excéder 15 pages. Les tableaux, figures et illustrations seront numérotés et produits sur des pages séparées et leur emplacement dans le texte indiqué dans chaque cas. Les citations doivent être accompagnées du nom de l'auteur et de l'année de publication du texte cité, sans numérotation; de même, les références à des livres ou articles sont placées dans le texte en mentionnant le nom de l'auteur entre parenthèses.

La liste des références en fin de texte ne doit contenir que les noms des auteurs cités dans le texte; pour sa présentation, on se reportera aux exigences pour les manuscrits présentés aux revues biomédicales (Can Med Assoc J., 1992) ou aux numéros précédents de la revue.

L'auteur doit faire parvenir trois exemplaires sur papier de son texte (+ disquette 3.5 Word Perfect IBM ou Word MacIntosh) accompagné d'un résumé en français et en anglais et d'une brève note de présentation indiquant sa discipline professionnelle et ses champs d'activité. Le texte sera soumis anonymement à trois membres du comité de lecture pour arbitrage et leurs remarques seront ensuite communiquées à l'auteur.

Aux auteurs dont la langue maternelle est autre que le français, la rédaction offre un service de révision linguistique pour faciliter l'édition de leurs textes.

Adresse de la Rédaction:
Revue P.R.I.S.M.E.
Département de psychiatrie
Hôpital Sainte-Justine
3100, rue Ellendale
Montréal (Québec), H3S 1W3.

Pour toute autre information, s'adresser à Mme Denise Marchand. Tél.: (514) 345-4695 poste 5701. Télécopieur: (514) 345-4635.

Adresse de retour:

> *P.R.I.S.M.E.*
> *Service des publications*
> *Hôpital Sainte-Justine*
> *3175 chemin de la Côte Sainte-Catherine*
> *Montréal, Québec*
> *H3T 1C5*

TARIF D'ABONNEMENT (3 numéros) pour 1995

Les prix incluent les frais de port et les taxes.

Individu	( ) 45.00$	
Organisme	( ) 75.00$	
Étudiant(e)	( ) 25.00$	(Photocopie de la carte en cours de validité)
À l'unité	( ) 19.00$	
Étranger	( ) 85.00$	(Par mandat-poste international **en devises canadiennes seulement**)

Nom .... Profession ....

Lieu de travail..

Adresse... App. ....

Ville.. Province....................... Code postal ....

Téléphones.: Résidence .... Travail ....

Pour informations: Mme Thérèse Savard, (514) 345-4671

ANCIENS NUMÉROS

Il vous manque un P.R.I.S.M.E.? Le voici.

Complétez votre collection (cochez les numéros désirés). Retrouvez le dossier qui vous intéresse.

Commandez dès maintenant

1990 - 91
( ) Vol. 1 no 1 La paternité
( ) Vol. 1 no 2 Approches transculturelles:
            communauté immigrante haïtienne
( ) Vol. 1 no 3 Le sommeil et le rêve de l'enfant
( ) Vol. 1 no 4 Les silences de l'enfant

1991 - 92
( ) Vol. 2 no 1 Autour de la naisance
( ) Vol. 2 no 2 L'art et l'enfant
( ) Vol. 2 no 3 Adolescence: expériences
            d'intervention
( ) Vol. 2 no 4 L'enfant atteint de maladie chronique

1992 - 93
( ) Vol. 3 no 1   Abus et négligence:
                l'enfant, sa famille et le système
( ) Vol. 3 no 2   L'hyperactivité
( ) Vol. 3 no 3   L'école face aux différences
( ) Vol. 3 no 4   Regard critique sur le
                placement des jeunes enfants

1994
( ) Vol. 4 no 1   Perspectives en recherche
                clinique
( ) Vol. 4 nos 2-3 Enjeux thérapeutiques du
                placement

• Cap-Saint-Ignace
• Sainte-Marie (Beauce)
Québec, Canada
1994

«L'IMPRIMEUR»